만만하게

보이지 않는 대화법

만만하게 보이지 않는 대화법

{ 함부로 무시당하지 않는 말투는 따로 있다 }

나이토 요시히토 지음 | 이정은 옮김

홍익출판사

차례

‘시선을 끄는’ 사람의 말투는 따로 있다 너무 세지도 약하지도 않은 절묘한 밸런스 화법

이야기는 ‘전달되지 않으면’ 의미가 없다 노력 없이도 대화가 술술 풀리는 테크닉

자신이 없을 때 '이것'을 어필하라 벌벌 떨며 얘기해도 호감을 사는 비밀

모든 관계는 '말의 게임'이다 어떤 사람도 내 편으로 만드는 금단의 심리술

나의 사전에 '노코멘트'는 없다 하고 싶은 말을 삼키지 않고 세련되게 전하는 법

시작하면서

'강한' 사람보다
'강해 보이는' 사람이 이긴다

내가 독자 여러분에게 전수하고자 하는 것은, 단지 대화만으로 '단숨에 다른 사람들에게 높이 평가받을 수 있는' 방법이다. 게다가 그 일은 비즈니스 대화만이 아닌 별 것 아닌 잡담으로도 가능하다.

큰 성공을 거두거나 누구에게도 지지 않을 실력을 가진 사람이 되기란 어렵다. 하지만 그런 인물로 '보이는' 것이라면 다르다. 조금의 대화 기술을 받아들임으로써 대단한 인물처럼 느껴지는 대화법을 터득한다면, 누구나 지금 당장 만만하게 보이지 않는 사람이 될 수 있다.

반대로 아무리 유능한 실력자라도, 머릿속에 수많은 지식을 가지고 있어도, 말 표현을 제대로 하지 못하면 세상이 그것을 알아줄 리 없다.

즉 우리 스스로가 타인에게 주는 인상이란 '대화'에 의해 정해진다.

"어이! 여기 물컵 더러운 거 안 보여?"

"축의금 내기 싫어서 1000엔만 넣었어."

만약 이와 같은 말을 입 밖으로 꺼내는 사람이 있다면, 당신은 어떤 생각이 드는가? 수년 간 호감을 쌓은 공인조차도 경솔한 말 한마디로 무너지는 모습을 우리는 너무 자주 본다.

따라서 말 한마디를 하더라도 생각해서 신중하게 할 필요가 있다. 말투 하나만으로 단번에 평가를 받게 되기 때문에 가벼운 대화여도 주의를 하느냐 마느냐에 따라, 타인에게 주는 자신의 이미지를 크게 바꿀 수 있는 것이다.

독자 여러분 중에는 "실제로 대단한 사람이 된 것도 아닌데 그렇게 보이는 것만으로는 의미가 없지 않나요?" 하고 묻는 사람도 있을 것이다.

틀린 말은 아니다. 나도 분명히 그렇게 생각하지만 말투나 일상의 습관같이 사소한 일에 소홀하면서 무조건 큰 인물이 되겠다는 목표를 세운다면 그것이 가능한 일일까?

작게라도 대화의 테크닉을 발휘해 자신의 유능함을 어필할 수만 있다면, 타인으로부터 특별한 취급을 받게 되고 나아가 큰일을 맡을 기회가 생긴다. 이를 기회 삼아 실제로 '대단한 사람'이 되는 것도 가능하다. 그러나 말로 자신을 잘 표현하지 못하면, 그런 기회조차 대부분 찾아오지 않는다.

이 책을 집은 독자들 중에는 타인에게 만만하게 보인 순간들로 인해 상처나 스트레스를 받은 경험도 있을 것이다. 나는 여러분이 누가 보더라도 강한 사람으로 비칠 수 있는 대화법을 익혀서, 그것을 무기로 언젠가는 진정한 강한 사람이 되라는 염원으로 이 책을 집필했다.

이 책을 계기로 언어 습관을 다듬는 노력을 기울인다면 여러분의 인생에 결코 손해는 아닐 것이다. 마지막까지 잘 읽어주길 바란다.

나이토 요시히토

제1장

'상위 1%의 사람'으로 보이면 인생이 편해진다

임팩트를 남기는 사람의
지적 회화술

CASE 1

친절함과 만만함 사이

생활용품 판매회사에 다니는 다쓰키 레나는 7년 차의 경력이 쌓인 직장인이다. 이제 서른다섯 살, 올해 회사에서 맡은 직책은 마케팅부 SNS팀 팀장으로 아래로 서너 명의 팀원을 두고 있다. 그런데 사교적이고 회사의 인정도 받으며 무엇 하나 부러울 게 없어 보이는 그녀에겐 남모르는 고민이 하나 있었다. 너무 사람 좋게 굴어 가끔 자신이 만만하게 보이지 않는가 하는 속앓이였다.

"이번 출시되는 디퓨저 제품과, 홍보에 도움이 될 M사의 공연표를 50개씩 교환하기로 했어요. 마케팅 계획 작성을 사토 씨가 도와줄 수 있을까요?"
"어? 팀장님. 그 공연 보신 것 맞으세요? 공연 수준이 우리 제품과는 맞지 않는 것 같은데요."

나름의 판단을 갖고 추진한 일임에도 레나는 팀원의 강한 의견에 잘 대처하지 못할 때가 많았다. 선배라고 완고한 어른이 되기 싫어 흔쾌히 반론을 들어주고 친근하게 지내왔으나, 지시에 가까운 일에도 반박을 해오면 당황스러웠다. 팀원들은 다른 상사나 직원에 대해서도 그녀 앞에서는 편하게 험담을 하곤 했다.

못마땅한 일은 회식 자리에서도 있었다. 그날은 술에 꽤 취한
영업부의 과장이 레나를 빤히 보더니 이런 말을 했다.
"다쓰키 씨 말이야, 약간 물고기 닮지 않았어? 하하."
듣는 순간 기분이 나빴지만 무심코 같이 웃어버리고 말았다.
와하하 웃고 떠드는 분위기에서 정색하고 화를 냈다가는
모두가 어색해질 것 같았기 때문이다. 레나는 얼버무렸지만
집에 돌아가는 길 내내 속이 상했고 밤에 잠들지 못했다.

'분명 기분 나쁜 말이었는데. 그때 이런 말을 했었어야 하는데.
이제 와서 왜 그랬냐고 따지는 것도 우습잖아. 나, 웃어주다 보니
화를 내는 능력도 잊어버린 게 아닐까?'

사실 다쓰키 레나는 남의 말에 굉장히 신경 쓰는 성격으로,
사교적이라는 평을 자주 듣는 이유도 혹여 타인의 미움을 살까
유의하며 살기 때문이다. 남들보다 웃으며 친절하게 하려 하는데
이럴수록 더 만만하게 보인다는 것이 사람관계에서 가장 속상했다.
어떻게 해야 할까? 하소연을 하고 싶지만 방법을 모르겠고,
무엇보다 나를 드러내는 부끄러운 고백이라 입을 열 수 없다.

상처 받았다면 무심코라도 웃지 마라

타인에게 기분 나쁜 말을 듣거나 놀림받거나 조롱을 당한다면, 그것은 당신을 만만하게 보고 있다는 증거임이 틀림없다. '만만하게' 보이지 않았다면 애초부터 놀림받을 일은 없다. 인상이 무섭고 험악한 분위기를 띠는 사람에게 마음 놓고 무례할 수 있는지 생각해보자. 이 사람을 함부로 놀렸다가 엄청난 반격을 받을지 모른다는 두려움이 들지 않겠는가.

타인에게 얕보여서는 안 된다.

이를 위한 방법은, 싫은 말을 들었을 때 지체 없이 꼭 되돌려주는 것이다. 그렇게 하면 상대방에게 '이 사람은 만만치 않구나'라는 인상을 줄 수 있고, 두 번 다시 싫은 말은 듣지 않게 된다.

영국인이 반 장난으로 중국인의 변발을 붙잡고

"어이, 돼지꼬랑지~"라고 부르자 그 중국인은 영국인의 넥타이를 꽉 쥐어 잡은 채,

"이거, 개 목줄을 달았네"라고 반격을 했다고 한다.

이와 같이 **당하면 그대로 되돌려주는 것을 자신의 신조로 여기고 행동하는 것이** 비결이다.

미주리 대학의 케네스 셸든(Kenneth Sheldon) 박사는 당하게 되었을 때 그대로 돌려주면 상대방에게 만만치 않은 인상을 줄 수 있고, 상대방의 공격 또한 멈추게 되었음을 실험적으로 확인했다. 제대로 반격을 하자 상대방으로부터 친절하고 협력적인 대접을 받을 수 있음이 밝혀진 것이다.

상대방에게 무례한 말을 들었을 때 참는 것은 바람직하지 않다.

반격하지 않으면 상대방에게 업신여김을 당할 뿐, 자신의 '이득'은 전혀 없다.

상대방에게 놀림받거나 무례한 말을 들으면 그 두 배로 되돌려줘야 '이 사람과 싸우는 것은 관두자'고 생각하게 만들 수 있다.

그런데, 상대방에게 놀림을 받았지만 바로 재치를 발휘하지 못하고 센스 있는 말로 받아치지 못할 때가 있다.

이 경우에도 어정쩡하게 웃어주면서 상대방의 눈치를 봐

서는 절대 안 된다.

확실하게 상대방을 쏘아보며 눈을 피하지 않고 10초 정도 똑바로 응시하라. 이렇게도 할 수 없다면, 당신이 화나 있다는 것만은 확실하게 상대방에게 전하도록 하자.

그러면 상대방도 손바닥 뒤집듯이 태도를 바꿔서 "아, 미안. 농담이었는데 그렇게 화낼 줄 몰랐네……" 하며 갑자기 겁을 먹게 되어 있다.

제대로 말이 나오지 않는다면 적어도 '쏘아보는 것'으로라도 반격해야 한다는 것을 잊어서는 안 된다.

무례한 말에는 바로 반격이 생각나지 않더라도 웃지 않고 노려봐 주는 것이 무시당하지 않는 비결이다.

대화 중에 절대로 하지 말아야 하는 말들

대화를 할 때 절대 사용해서는 안 되는 표현들이 있다.

그것은 "음……"과 "어……", 그리고 "……인 것 같아서……"와 같은 표현들이다.

조금 신중한 인상을 주겠다고 생각해서 일부러 천천히 말하며 중간에 그런 표현을 곁들이는 경우도 있지만, 이는 기본적으로 머뭇거리고 자신이 없다는 인상을 주기 때문에 만만해 보이기 쉽다.

펜실베이니아 주립대학의 브렌다 러셀(Brenda Russel) 심리학과 교수는 신입사원 지원자들이 취업 면접장에서 말하는 내용을 녹음하여 90명의 학생들에게 들려주었다. 이때 테이프는 세 개로 나누었다.

테이프 1

면접관과 3분 동안 대화하면서 "음……", 또는 "어……" 하는 감탄사를 15차례 넣어서 말한 것

"**음**……, 저는 취직을 하면, **음**……, 대학에서 배운 것을 잘 살려서, **어**……, 최선을 다해 일하고 싶습니다."

같은 내용으로 "……인 것 같아서……"를 15차례 넣어서 말한 것

"취직을 하면 대학에서 배운 것을 살릴 수 있을 것 같아서…… 최선을 다해 일하고 싶습니다."

그런 말을 첨가하지 않고 깔끔하게 전달한 것

"저는 대학에서 배운 것을 살려서 최선을 다해 일하고 싶습니다."

테이프를 전부 들은 후에 학생들에게 "당신이 기업의 인사담당자라면 어떤 사람을 채용하겠습니까?"라고 질문하자, 테이프(3)이 가장 호의적인 평가를 받았고, 테이프(1)과 (2)는 거부감을 느꼈다는 등의 나쁜 평가를 받았다. 한마디로 면접장에서 그런 표현을 남발하는 것은 자책골을 넣는 것만큼이나 위험하다는 것이다.

그런데 버릇처럼 이런 말투를 남용하는 사람들이 의외로 많다. 어떤 말을 시작하면서, 또는 문장과 문장 사이에 머뭇거리는 표현을 넣으며 듣는 사람을 초조하게 만드는 것이다.

군이 취업 면접장이 아니더라도 사회생활을 하면서 이런 **읊조림이 입 밖으로 나올 것 같다면, 차라리 '입을 다무는 것'이 정답**이라 하겠다. 그러니 주위 사람으로부터 이런 습관이 있다고 지적을 받으면 "음……"이라는 말을 절대 꺼내지 않도록 훈련을 하는 게 좋다.

예를 들어 "음……, 제 취미는 말이죠……, 어……, 독서입니다"라는 내용을 전할 때, "음……"의 부분에서는 소리를 삼키면서 "……**제 취미는 말이죠 ……독서입니다**"라고 말해보라. 문장 곳곳에 소리가 사라져버리지만, 그 편이 오히려 상대에게 독특한 위압감을 줄 수 있다.

이런 언어 습관은 무의식적인 것이라 고치기 쉽지 않지만, 스마트폰 녹음 기능 등을 이용해 시간 날 때마다 연습한다면 한결 나아지고 자기 나름의 멋진 대화 테크닉을 익힐 수 있을 것이다.

"음……", "그……", "저……", "같은데……"라는 표현을 쓰는 것은 상대에게 만만하게 보이는 지름길이다.
이런 말이 나오려 할 때마다 꿀꺽 삼키려고 노력한다면 훨씬 당당해 보일 수 있다.

'20년 120개월'
나이를 먹은 사람

TV에서 사회자가 어느 여자 연예인에게 나이를 물었다. 그러자 그녀가 빙그레 웃으며 이렇게 대답했다.

"20년 120개월입니다."

20년 하고도 120개월, 단순히 계산하면 서른 살. 자신의 나이를 대뜸 "서른 살"이라고 대답해버리면 바로 어리다는 어필을 할 수 없기 때문에 일부러 까다롭게 말을 바꿔 대답한 것이다.

실은, **이런 알기 어려운 표현을 써서 상대를 혼란시키는 심리 테크닉**이 있다. 이것을 '**DTR법**'이라고 부른다. 한순간 알기 어려운 표현으로 상대를 혼란시키면, 상대가 패닉이 되어 자신의 요구나 부탁을 받아들이게 된다는 방법이다.

과거 전국시대의 무장이 난공불락의 성을 함락시키기 위해 상대를 교란시키고 정상적인 판단을 빼앗는 전략을 취했던 것을 설득법에 연결시킨 것이다.

네덜란드 트웬테 대학 심리학과의 밥 페니스(Bob Fennis) 교수가 이끄는 심리학 연구팀은 애완동물이 그려진 엽서를 팔기 위해 동물보호단체 직원으로 가장하고 80세대의 가정을 방문했다.

이때 연구팀은 대상자들을 두 부류로 나눠 한 쪽에는 "**엽서 한 장에 100유로센트입니다**"라고 알아듣기 힘들게 말하고, 다른 한 쪽에는 "**한 장에 1유로입니다**"라고 쉽게 표현했다.

1유로와 100유로센트는 같은 말인데도, 일부러 복잡하게 표현했을 때는 53퍼센트의 가정이 엽서를 사준 반면에 알기 쉽게 표현했을 때는 30퍼센트의 가정에서만 사주었다.

이 실험은 문장에 조금 어려운 단어를 넣어 표현했을 때의 반응을 알아보기 위한 것으로, **우리가 대화 과정에서 상대의 난해한 표현에 잠깐이라도 혼란에 빠지면 금세 상대가 이끄는 대로 빠져들게 된다는 사실**을 말해준다.

대기업 홍보팀에서 잔뼈가 굵은 베테랑 광고부장이 이런 말을 했다.

"광고에서는 상품의 핵심 포인트를 소비자에게 전부 이해시킬 필요가 없다."

이 말을 달리 표현하면 오히려 소비자를 완벽하게 이해시키지 않는 방향으로 광고를 만드는 게 좋을 때도 있다는 것이다. 대화에서도 그렇다. 조금은 어려운 단어를 연달아 꺼내며 마지막에 "알겠지?" 하고 물으면 대개는 납득이 되지 않았음에도 다른 사람들의 동조 분위기에 휩쓸려 그냥 머리를 끄덕이는 경우가 많다.

또한 어려운 단어를 먼저 사용하고 다음에 그것을 알기 쉽게 바꿔주는 것도 상대를 내 말대로 이끄는 전략이다.

"이 학생의 경우 '피그말리온 효과'를 기대할 수 있겠군요. 아, 피그말리온 효과란 주위의 기대와 격려로 인해 성적이 상승하는 것인데요, ……"

"이번에 추천 드리는 와인은 '미네랄리티'도 좋지만 '오크 터치'가 그만입니다. 미네랄이 많아 약간의 쇠 맛이 나는 게 미네랄리티이고, 오크터치란 불에 그을린 나무 탄 냄새를 연상하시면 되는데요, ……"

이렇듯 친숙하지 않은 용어를 일부러 사용하여 일시적으로 혼란스럽게 하면 상대는 그 다음의 말을 쉽게 믿어버리는 습성이 있다.

완고한 상대를 설득하고 싶을 때, 일부러 어려운 단어나 업계 용어, 약어를 사용해보라. 상대가 순간적으로 '뭐지 그게?' 싶어 혼란스러워 할 때 바로 알기 쉬운 표현과 말투로 말해주면 이후의 내용에도 쉽게 설득된다.

이야기의 포인트를 전부 상대방에게 이해시킬 필요는 없다. 오히려 이해시키지 않는 방향으로 말하여 듣는 사람을 순간 혼란스럽게 만든다면 결국 대다수가 내 부탁이나 주장에 따르게 된다.

"입니다"와 "인데요…"의 차이

정치인의 말은 끝까지 들어봐야 한다는 얘기가 있다. 그들이 하는 말을 알아듣기 힘든 이유는 너무 장황할 뿐 아니라 아무리 시간이 지나도 마지막까지 결론을 내지 않고 얼버무릴 때가 많기 때문이다.

어디 정치인뿐이겠는가. 큰 이익이 걸린 비즈니스 현장은 더하다. 끝없이 늘어놓는 상대의 말을 대충 알아듣고 계약서에 서명했다가 크게 낭패를 본 사람들의 이야기를 흔히 듣는다.

이런 데에는 결론을 뒤로 미루거나 마지막으로 가져갈 수 있는 우리말의 편리한 언어구조가 한몫한다.

동사가 뒤에 들어가야 하는 언어적 구성상, "나는 책을……"이라는 말을 한들 그것이 책을 '읽고 싶다'고 하는 것인지, '사고 싶다'고 하는 것인지, '좋아한다'고 하는 것인지 알 수 없다.

그래서 **끝말이 중요하다**고 하는 것인데, 정작 많은 사람들이 마지막에 가서 우물거리거나 두루뭉술하게 끝맺고 만다.

"정부도 말이야, 외국한테는 저자세로만 외교를 해서…… (두루뭉술)"

"이제부터 성장산업의 가능성은 식재료나 바이오테크놀로지의…… (두루뭉술)"

이런 식의 말투은 듣는 사람을 초조하게 만들 뿐이다.

더 간결하게 문장의 끝맺음을 하려면, 딱 부러지는 표현을 쓰는 것이 중요하다.

예를 들어 "○○ 씨, 인도 요리를 좋아합니까?"라는 질문을 받으면,

"좋아합니다."

단 한 마디로 단정하는 것이 좋다.

"좋아한다고 해야 하나, 아주 좋아하는 건 아닌데, 딱히 싫은 건 아니어서 기회가 있으면 먹기도 하고…… (두루뭉술)"

이렇게 말해서는 안 된다. 문장의 끝을 흐리면 '똑 부러진 사람이 아니다' 혹은 '싱거운 사람'이라는 나쁜 인상을 주게 된다.

미국 데이튼 대학 심리학과 존 스파크스(John Sparkes) 교수가 대기업의 인사 담당자들을 대상으로 조사한 바에 의하면, 신입사원 면접에서 "……입니다"라고 간명하게 종결어미

를 사용한 사람이 "……라고 생각하는데요……"라고 애매모호하게 끝을 맺는 사람보다 훨씬 강한 인상을 주었다고 한다.

대화의 비결은 어쨌거나 짧게, 그것도 될 수 있는 한 아주 짧게, 딱 부러지듯 단정을 짓는 것이다. 말을 조금 길게 하고 싶을 때도 **앞에 먼저 결론을 내려놓아야** 한다. 그 뒤에 자기 발언의 근거나 보충의 말을 덧붙이면 된다.

이때 부연설명은 대체로 15초 안팎이 적당하다. 짧게 자기 할 말을 전하고 발언권을 다른 사람에게 양보하자.

이런 대화 테크닉을 무시하고 자신을 어필하겠다는 명목으로 정해진 시간을 초과하면서 악착같이 자기 이야기를 늘어놓으면 장황한 사람이라는 인상을 넘어 무례하다는 이미지를 심어주게 된다.

결국 화술의 승리란 얼마나 많은 이야기를 하느냐에 있지 않고 얼마나 효과적으로 말하느냐에 있다.

문장의 끝맺음을 간단명료하게 하는 습관을 들이면 듣는 사람에게 또렷한 인상을 남길 수 있고, 결론도 분명하게 전달할 수 있어 효과가 크다.

COLUMN 1

왜 재판관이나 경찰관은 검은색 옷을 입을까?

미국의 베스트셀러 작가 말콤 글래드웰(Malcolm Gladwell)은 《블링크 : 첫 2초의 힘》이라는 책에서 누군가를 처음 만날 때나 긴급한 상황에서 신속하게 결정을 내려야 할 때, 첫 2초 동안 우리의 무의식에서 섬광처럼 일어나는 순간적인 판단이 얼마나 중요한지를 설명하고 있다.

우리는 비즈니스뿐만 아니라 일상생활에서 직관과 통찰력에 크게 의존하고 있으며, 무의식 상태에서 핵심 정보를 순간적으로 포착해 주요한 판단을 내린다는 것이다.

나는 이 책에서 '대화법'에 대해 설명하고 있지만, **만만하게 보이지 않는 첫 이미지를 만들기 위해서는 옷차림에도 주의하라고 강조한다.** 저급하고 경박한 옷을 입고 있으면 아무리 말 한마디를 주의해서 해도 얕보이는 일을 피할 수 없기 때문이다.

샤넬의 창시자 코코 샤넬(Coco Chanel)은 이렇게 말했다.

"상대를 외모로 판단하지 마라. 그러나 명심해라. 당신은 외모로 판단될 것이다."

'외모보다는 내면'이라는 말을 자주 하지만, 현실에서는 아무래도 내면보다는 외모 쪽에 중점을 두는 경우가 많기에 사회생활을 하는 사람으로서 옷차림에 소홀해서는 절대 안 된다. 이 책은 의상에 관한 책이 아니기에 자세히 논하지는 않겠지만, **무조건 '복장은 중요하다'는 것**을 항상 염두에 두기 바란다.

미국 매사추세츠 주 클라크 과학센터의 심리학자 리어나도 빅맨(Leonardo Bickman) 박사는 남성은 정장에 점잖은 넥타이, 여성은 드레스와 코트를 입고 다른 사람들에게 부탁을 할 경우 77퍼센트의 사람들이 들어준다고 밝혔다.

고급스런 옷차림만으로 믿을 만한 사람이라고 생각한 것이다.

연구팀은 이번에는 같은 사람들인데 남자는 허름한 작업복에 손전등을 들고, 여자는 값싸 보이는 티셔츠와 현란한 색깔의 미니스커트로 갈아입고 똑같은 부탁을 하게 했다.

그 결과 이번에는 38퍼센트의 사람밖에 들어주지 않았다.

지위가 높아 보이는 복장을 한 남녀가 부탁하니…

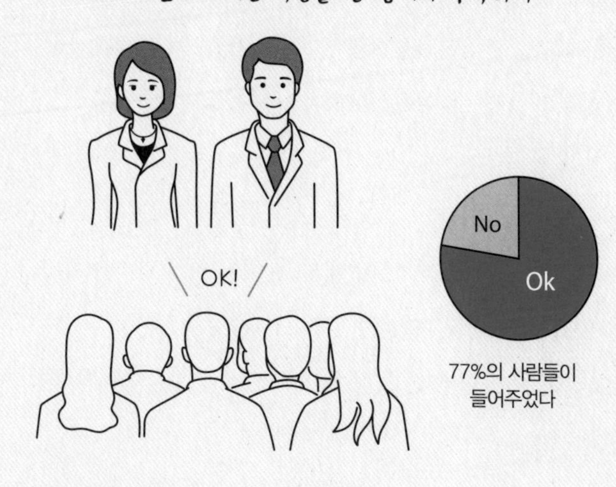

지위가 낮아 보이는 복장을 한 남녀가 부탁하니…

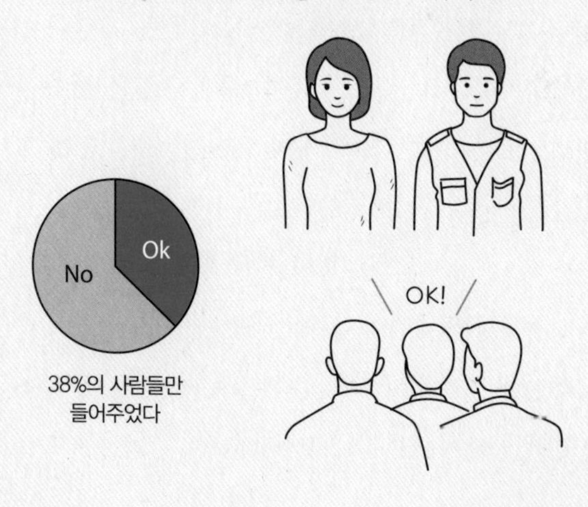

빅맨 박사는 이 결과를 바탕으로 '옷차림이 그 사람에 대한 이미지를 만든다'는 결론을 도출해냈는데, 그만큼 옷차림에 신경을 쓰는 것이 중요하다는 사실을 알게 해준 연구라고 하겠다.

타인에게 만만하게 보이지 않으려면, 역시 진중함이 드러날 수 있는 복장을 해야 한다.

그것이 대화법에도 영향을 주어 말에 진중함을 느낄 수 있게 하기 때문이다.

색깔을 예로 들자면, 무게감 있는 이미지를 전하고자 한다면 '검은색'이 좋다. 재판관이나 경찰관이 검은색 계통의 어두운 색 옷차림을 고집하는 이유는 만만해 보이지 않으려는 것인데, 이와는 반대로 재판관이 현란한 색상의 셔츠를 입거나 경찰관이 누덕누덕 기운 청바지를 입은 채 근무한다면 권위는 고사하고 그들의 말에 신뢰가 전혀 없는 상황이 벌어질 것이다.

따라서 복장을 갖춰 입을 때는 전체적으로 검은색 옷차림으로 통일할 것을 권한다. 그것만으로도 여러분은 타인으로부터 가볍게 여겨지지 않을 것이다.

아무리 자기가 좋아하는 색이 핑크나 노란색이라고 해도 처음 누군가를 만날 때는 무난하게 검은색을 선택하는 게 정답이다. 특히, 일과 관련된 만남일 때는 더 그렇다.

만약 당신이 경력이나 연륜이 있다고 자부하는데도 이따금 주위 사람들로부터 애송이 취급을 당하곤 한다면, 평소의 옷차림이나 옷의 색깔이 적절하지 않았던 것은 아닌지 돌아봐야 한다. 나이에 걸맞게, 아니면 조금 연상으로 보이는 복장이 바람직할 것이다.

이런 일은 남자라면 셔츠나 넥타이 같은 소품, 여자라면 목걸이나 팔찌 같은 액세서리에도 그대로 적용된다. 대화의 장소나 상대에 따라 자기를 연출하는 일에 능한 사람이 되자. 옷에 돈을 아끼려다 무시당하게 되면, 결국 자기 자신에게 손해를 입히는 것임을 명심하길 바란다.

상대를 긴장시키는 '의외의 말'

대화에서는 될 수 있는 한 심리적으로 상대방의 위에 서야 한다. 심리적으로 위에 서는 것이야말로 당당한 말투의 전제이며, '구워삶는다'는 표현처럼 상대방을 몰아붙인 뒤 내 생각대로 움직이게 할 수 있다.

이에 **상대방보다 심리적으로 위에 서는 방법 두 가지**를 소개하겠다.

하나는, '나는 이 사람보다 더 대단한 사람!'이라고 계속 되뇌며 스스로 암시를 거는 방법, 또 하나는 상대방을 긴장하게 만들어 위축시킴으로써 상대적으로 내가 위에 서게 되는 방법이다.

이번 장에서는 후자, 즉 상대방이 위축되도록 유도하는 방법에 대해서 말해보고자 한다.

만약 여러분이 어느 정도 커리어에 관록과 연륜이 있는 30대 후반 정도이고, 마침 아직 학교를 졸업한 지 얼마 안 된

새파란 스무 살과 대화를 하게 됐다고 가정할 때, 첫 대면에 다음과 같은 말을 하면 효과적이다.

"아하하, 제 앞에서는 그렇게 긴장할 필요 없어요."

"OO 씨, 꽤 긴장하셨네요. 누가 보면 잡아먹는 줄 알겠어요, 그렇게 긴장하지 마세요."

이렇게 말하면, 상대방을 더욱 긴장시키게 된다.

언뜻 보면 긴장하지 말라고 부드럽게 말하기 때문에 상대방의 긴장감을 풀어주는 듯하다는 인상을 받게 될 것이다.

하지만 실은 반대다.

"긴장하지 않아도 된다"고 하면, 대다수의 사람들은 '더 긴장'하고 만다.

버지니아 대학 대니얼 베그너(Daniel Wegner) 박사의 심리학 연구팀이 실시한 실험에 의하면 "슬퍼할 필요 없다"라고 지시한 뒤 슬픈 추억을 써내려 가게 하자, 대상자들은 그런 지시를 내리지 않은 그룹에 비해 더 슬퍼했다고 한다.

또 베그너 박사는 "마음을 편히 가져도 좋다"라고 말한 뒤 시험을 하자 오히려 사람들이 긴장하는 것을 확인하였다.

이와 같은 현상을 '**백곰효과**' 또는 '**아이러니 효과**'라고 한다. 모순적이게도, 긴장하지 말라고 하는 말을 들으면 더욱 긴장을 하고, "백곰을 생각하지 말라"고 하면 더욱 백곰에 대한 생각이 거세게 떠오르고 마는 것을 말한다.

이로써 알 수 있듯이,

"긴장하지 않아도 돼요."

라고 상대방에게 부드럽게 말을 건네는 것은 더 긴장을 하도록 계획된 함정일 뿐이다. 부드럽게 말을 건넸기 때문에 상대방에게 친절함을 어필함은 물론, 상대방을 긴장시키려는 숨은 목적을 이룰 수 있다.

여러분도 종종 이 테크닉을 사용해보길 권한다. 처음 만나는 상대방을 긴장시키는 편이 내가 원하는 대로 일을 진행시키는 데 유리하기 때문이다.

상대방을 긴장시켜서 심리적으로 유리한 포지션에 서려면 "내 앞에서는 그렇게 긴장하지 않아도 된다"라고 일부러 말을 건넨다.

불리한 지시도 기꺼이 따르게 하는 대화 테크닉

상대방에게 불합리한 일을 시킬 때는 상대방이 아예 그 문제에 대해 신경을 끊도록 만드는 편이 좋다. **쓸데없는 설명을 덧붙이면 오히려 그 불합리함을 눈치 채는 일**이 있기 때문이다.

예를 들어, 100만 원이 손에 들어와 그것을 후배와 나눠 가지게 되었다고 치자. 그때 "자!" 하고 말없이 20만 원을 건네줬다. 쓸데없는 부연 설명을 일체 하지 않고서.

그러면 어떻게 될까? 심리학적으로 보면, 후배는 어떤 불평도 하지 않고 불만도 느끼지 않을 것을 예측할 수 있다.

그런데 똑같이 20만 원을 건네줄 때,

"자! 이건 네 몫이야. 내 쪽이 나이가 많으니까 좀 이해해 줘."

라는 말을 덧붙였다고 하자. 그러면 이번에 후배는 불공평하고 불합리하다고 느낄 것이다. 정말 그렇게 될까? 하고 독자 여러분은 반신반의할지 모른다.

그런데, 실제로 그렇게 된다고 한다.

캐나다 브리티시 컬럼비아 대학의 대니얼 스칼리키(Daniel Skarlicki) 교수는 두 명씩 짝을 이룬 열 팀에게 각기 열 장씩의 복권을 나눠주고는 둘이서 나눠가지라고 했다. 이때 스칼리키 교수는 복권을 나눠주는 사람에게는 상대에게 단지 두 장만 주라고 지시했다.

그러면서 스칼리키 교수는 조건을 붙였다. 다섯 팀은 그냥 말없이 두 장을 건네주고, 나머지 다섯 팀은 "내가 왜 이렇게 나눠주느냐면……" 하는 설명을 덧붙이도록 했다. 그 결과, **건네주는 사람이 부연설명을 할 때 받는 사람은 굉장히 불공평하게 느꼈다는 사실이 밝혀졌다.**

스칼리키 교수에 의하면 '불합리한 것은 불합리한 채로 내버려두는 편이 상대방도 그것을 알아차리지 못한다.' 그래서 불합리한 일을 당해도 문제점에 대해 크게 신경을 쓰지 않고 받아들이게 된다.

사람들은 상대방에게 확실히 설명하는 것이 상대방이 불만을 갖지 않을 최선의 방법이라고 착각한다.

그러나 위 실험이 보여주듯 **실제로는, 설명하지 않는 것 또한 상대방이 불만을 갖지 않을 현명한 방법**인 것이다.

대화를 나누면서 만약 상대에게 불합리한 일을 시켜야 할 경우가 생기면, 이유나 근거를 말하지 말고 그냥 그렇게 해버리면서 쓸데없는 설명을 하지 않는 편이 바람직하다. 아무렇지 않게 처리하면 상대방도 '음, 그런 거로군' 하며 스스로 납득할 수 있다.

회사나 조직사회에서 아랫사람이 내 지시에 종종 불만을 갖는 듯하거나 나를 만만하게 본다는 느낌이 든다면, 말투에 신경 써보라. 왜 이런 일을 시키는지 친절하게 설명할 것이 아니라 단도직입적으로 지시만 하고 말을 아끼면 오히려 일의 진행이 수월해질 것이다.

불합리한 일을 시킨다는 허점 때문에 자꾸 말을 덧붙이려 하면, 듣는 쪽은 불공평함을 강하게 느낀다. 이럴 때는 부연설명을 삼가고 불합리한 채로 처리하는 편이 낫다.

매번 '자기소개'를 하면 무엇이 다를까?

낯선 사람들이 모인 자리에서 발언할 때, **사람들에게 알려야 하는 것은 말이 아니라 나 자신**이라는 사실을 잊지 말자. 그러니 말하기 전에 반드시 자기소개를 하라. 자신의 명함에 적힌 내용을 읽어주듯이, 발언할 때마다 자신의 이름을 밝히는 것이다.

"○○사의 김하나라고 합니다."

"○○과의 김하나입니다."

누구로부터 이름을 밝히라는 요구가 없어도 적극적으로 자신의 이름을 말하라. 그렇지 않으면 아무리 좋은 발언을 해도 '저 사람은 누구지?'라는 의문부호만 남게 된다.

아무도 당신을 알아보지 못하는 상황에서는 훌륭한 발언을 하느냐 못 하느냐보다는, 자신을 얼마나 사람들에게 어필할 수 있느냐가 중요하다.

각 부서의 대표가 모여서 회의를 하게 될 경우 같은 회사라 해도 전혀 면식 없는 사람들만 모이기도 한다. 그러한 회의라면 더욱더 자신의 이름을 알려야 할 필요가 있다.

미국 애리조나 대학 심리학과 스티븐 레인(Stephen Rains) 박사는 이렇게 말했다.

"의견을 말할 때 자기소개 없이 익명으로 발언하게 되면 발언 내용에 대한 신뢰성이 낮아져서 효과가 반감된다."

분명한 목소리로 자기소개를 한 다음에 발언을 하면 내용에 대해 책임을 진다는 뜻이 포함되니 그만큼 영향력이 커진다는 뜻이다.

인터넷에서 익명으로 발언을 하면 아무리 논리정연한 이야기라 해도 어쩐지 가면 뒤에 숨어 있다는 인상이 짙고, 그래서 무책임해 보이기 때문에 믿음이 가지 않는다.

정치인들 중에는 인기를 끌어보려는 의도인지 모르지만 근거도 없이 불분명한 이야기를 마구 발언하는 경우가 많은데, 가만히 들어보면 누가 언제 왜 그런 말을 했다는 것인지 모호하기만 해서 시청자 입장에서는 그 사람에 대한 신뢰마저 깎아먹는 일이 비일비재하다.

회사에서 회의를 할 때도, 명패가 놓여 있거나 참석자들이 내가 어느 직책의 누구인지 분명히 알고 있는 자리에서도 가끔은 이름을 밝힐 필요가 있다.

"영업부 대리 김하나입니다"라고 사람들의 뇌리에 각인을 시키듯이 말하면 그만큼 책임의식이 강한 인상을 주게 되고, 임원들이 배석한 자리라면 더욱 그 사람을 기억하게 될 테니 일석이조다.

여담으로 한마디 덧붙이자면 비즈니스 문제로 거래처를 방문하거나 다른 회사의 사람들을 만나게 될 때 명함을 건네는 일을 의무처럼 생각하는 게 중요하다.

상대한테 명함을 받고서도 호주머니를 뒤적거리다 명함이 없다고 말하면 어쩐지 횡설수설하는 것처럼 보이고, 그만큼 회사를 대표하는 자격이 없는 모습으로 비칠 수 있다.

몇 번인가 얼굴을 마주친 사람과 일 이야기를 할 때,
내 기대와 달리 상대방이 내 이름을 모르는 경우가 꽤 흔하다.
그러니 일일이 자기소개를 하는 편이 좋다.

가끔은 다그치는 말투도 무기가 된다

사람들에게 진중한 인품의 소유자라는 사실을 느끼게 하고 싶다면, 차분히 타이르는 식으로 말하는 게 좋다. 침착하고 안정감 있는 태도를 유지하면서 말을 이어나가면 사려 깊다는 인상을 주어 대화의 효과를 높이게 된다.

그런데, 이와는 반대로 상대를 설득할 때 **'열정적으로 밀어붙이는 방법'**이 먹힐 때도 있다.

결론이 나지 않는 토론을 벌일 때 빠른 말로 쏘아붙이며 상대방의 사고를 혼란시키면 내 쪽의 말을 따르게 할 수 있는데, 나쁘지 않은 전략이다.

두 사람이 격렬한 언쟁을 벌이고 있는 광경을 본 적이 있는 사람이라면 이런 사실을 잘 알 수 있을 것이다. 어느 한 쪽도 상대방의 말을 듣지 않은 채 마구 말을 쏟아내기만 한다. 그런데 가만히 보면, 결국엔 말을 더 많이 강하게 뱉어낸 사람이 이기는 경우가 흔하다.

그런 대화 방식도 필요하다면 해야 한다.

날카롭게 지적할 곳만을 노려 주위의 감탄을 받으려고 하다 보면, 그 순간을 기다리다 무의식중에 입이 무거워지고 결국 침묵하게 되는 경향이 되고 만다. 이렇게 되면 결국 자기 재능을 어필할 수 없다.

그러니 '많이 쏘다 보면 한 방은 맞겠지'라고 가볍게 생각하고 어쨌든 빠른 말로 쏘아붙이는 것, 이것이 바로 이번에 알려주고자 하는 테크닉이다.

각각의 논리가 전혀 이치에 맞지 않더라도 우선 **'많은 건수'**로 승부해본다. 시끄럽다고 느껴질 정도로 쏘아붙이는 것이 포인트다.

말의 속도감도 중요하다. 미국 시라큐스 대학 심리학과 매캐나 초크(Makana Chock) 교수는 "담배를 끊자"고 주장하는 내용이 담긴 녹음테이프를 만들어 학생들에게 들려주었다.

이때 초크 박사는 녹음테이프를 빠른 속도로 말하는 것, 보통 속도로 말하는 것, 느린 속도로 말하는 것 등 세 가지로 나누어 재생했다. 결과적으로 내용을 얼마나 받아들였는지 조사해보니, 말하는 스피드가 빨라질수록 설득의 효과가 높았다.

이런 광경은 흔하게 찾아볼 수 있다. 대화 테크닉에 능한 사람은 **천천히 말하다가도 논리적인 허점이 드러날 것 같으면**

말의 속도가 빠를수록, 사람을 설득하기 쉽다

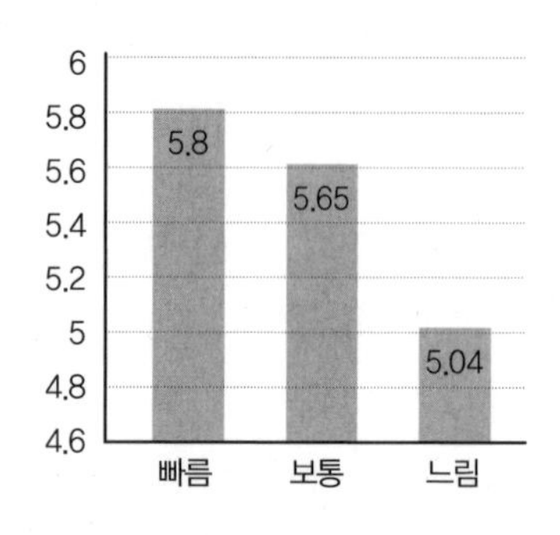

※ 수치가 클수록 듣는 사람이 메시지에 영향받은 정도를 나타낸다. 9점 만점.
(출처: Chock, T. M., et al., 2007)

빠르게 다그치듯이 말을 이어나간다. 상대방은 제대로 이해할 수 없어도 고개를 끄덕이는 경우가 많기 때문이다.

빠르게 말할 때는 '목소리의 높낮이'도 주의해야 한다.

빨리 말하려다 보면 아무래도 고음이 되는 경향이 있는데, 이런 모습은 이성을 잃고 히스테리에 빠진 듯한 인상을 주기 때문에 결코 바람직하지 않다. 따라서 빠르기는 해도 상대의 반응을 보며 최대한 목소리를 절제하면서 말해야 한다.

빠른 말로 밀어붙이되 너무 새된 소리가 되지 않게 조심하면 상대가 내 말에 따를 확률이 높아진다.

제2장

'시선을 끄는' 사람의 말투는 따로 있다

너무 세지도 약하지도 않은
절묘한 밸런스 화법

CASE 2

백화점에서 생긴 일

오늘 와타나베 미유코는 오랜만에 간 백화점에서 잔뜩 기분이
상하여 돌아왔다. 중요한 미팅이 잡혔는데 입을 옷이 마땅치 않아
큰맘을 먹고 간 것이었다. 세일기간에 주말이라 한창 바쁜 시간이긴
했지만 그렇다 해도 미유코는 자신만 너무한 대접을 받았다고 느꼈다.

일단 입구에 들어서 둘러보고 있어도 직원은 미유코에게
말을 걸어주지 않았다.
그녀는 조금 무안함을 느끼며 더 안쪽으로 들어갔다.
쇼윈도 속의 물건에 관심 있게 눈길을 줘도 직원은 꺼내 보여주겠다
어떻다 가타부타 말이 없고 멀뚱히 그녀를 쳐다보기만 했다.
"이것…… 꺼내주실 수 있나요?"
직원은 그제야 미유코가 가리킨 목걸이를 꺼내주었지만
적극적인 설명은 없었다. 다른 매장에서도 황당한 일은 계속됐다.
"손님, 혹시 찾으시는 게 있으신가요?"
"아……."
"네, 베이지색 기본 셔츠를 찾고 있는데요."
미유코가 대답도 하기 전에 뒤에 있던 사람의 말에 직원은
그를 응대하러 나갔던 것이다.

'옷차림이 초라해보였을까…….'

수수한 코트에 치마, 단화. 아주 화려하진 않지만 그렇다고 허름하지는 않다. 미유코는 자신의 행동을 돌아보았다.

"저……."

쭈뼛쭈뼛한 시선,

"혹시 얼마인지 알 수 있을까요?"

미안한 듯한 미소.

야구모자와 점퍼, 청바지를 걸치고도 당당하게 명품매장에서 이것저것 보여만 달라는 사람도 많았다. 수줍은 성격의 미유코는 직원에게 일을 시키는 것 같은 미안함에 예의를 차렸고 무엇보다 구매할 생각이 있는 사람이었는데도 오히려 무시를 당한 기분이었다.

이런 일을 당하자 미유코에게는 얼마 전 친구와 룸셰어를 알아보러 부동산에 간 기억이 스멀스멀 떠올랐다.

"월세는 12만 엔. 관리비는 물론 별도예요."

미유코는 크게 놀랐지만 같이 간 친구 스미레는 분명 예산을 초과했는데도 태연했다. 공인중개사의 입에서 모르는 용어들이 나올 때도 무슨 의미인지 묻는 미유코에 비해 스미레는 웬일인지 잠잠했다. 아니나 다를까 부동산을 나와 미유코는 스미레에게 이런 잔소리를 들었다.

"미유코, 그러면 안 돼. 얕잡아 보인단 말이야."

'난 몰라서 모른다고 한 것뿐인데. 사람들의 생각은
참 나의 의도와 같지 않구나…….'
다시 이런 일을 겪지 않으려면 어떻게 해야 하는 걸까.
미유코는 처음으로 자신의 표현방법에 관해 진지하게
고민이 되기 시작했다.

상대에게
어떻게 보이느냐가 중요하다

20대 초반에 운전면허를 따려고 학원에 다녔을 때의 일이다. 눈으로 좌우를 확인한 뒤에 차를 출발시키려고 하는데, 강사가 느닷없이 브레이크를 꽉 밟고 소리를 질렀다.

"아니야, 아니라니까! 좌우를 똑바로 확인해야지!"

나는 분명 좌우를 봤다고 자신했기에 "네? 확인했는데요?"라고 강사의 얼굴을 빤히 쳐다보며 물었다. 이에 강사가 이렇게 대꾸했다.

"당신이 실제로 봤는지 어땠는지는 상관없어. 나한테 그렇게 보이지 않으면 하나도 소용없는 일이라고!"

그때는 그 말에 화가 났었는데, 지금 생각해보면 강사에게 고마워할 일이라고 생각한다. 내 자신이 무슨 일을 하든 말든, 그것은 관계가 없었다.

상대방에게 그렇게 보이느냐가 중요했던 것이다.

말을 할 때도 마찬가지다. '나는 강한 인상을 남기도록 자신 있게 말하겠다', '나는 늘 웃는 얼굴을 유지하기 위해 노력할 것이다'라고 작정한 뒤 아무리 그렇게 한다 해도, 상대방이 강하게 보지 않거나 웃고 있는 것으로 보이지 않는다면 아무 의미 없는 일이다.

그러므로 대화하면서 상대의 말에 동조할 때는 조금은 과장되게 표현하는 게 바람직하다. 대표적인 것으로 맞장구가 있다. 상대가 말을 할 때 확연히 드러나게 머리를 끄덕이면 그가 보기에 말을 제대로 듣고 있는 것처럼 보인다. 말할 때도 마찬가지다. 손짓을 잘 사용하면 대화의 효과가 커지고 그만큼 강한 인상을 준다.

하버드 대학의 데이나 카니(Dana Carney) 교수는 몸짓언어를 제대로 사용하면 그렇지 않은 사람들보다도 한층 더 파워풀해 보인다고 말했다.

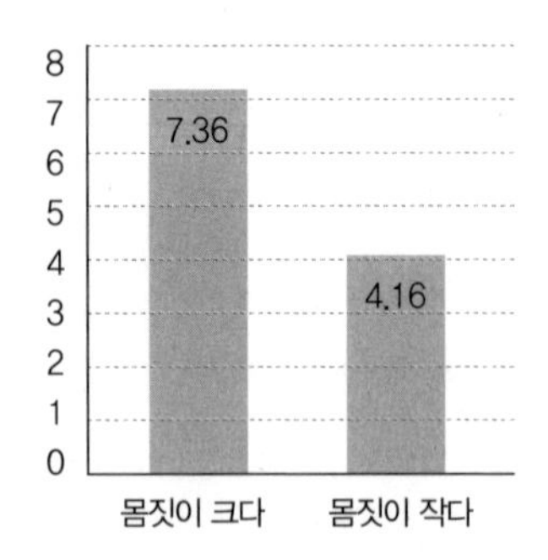

※수치는 10점 만점. 10점에 가까울수록 '강해 보인다'고 호평받는 것을 가리킨다.
(출처: Carney, D. R., et al., 2005)

신체동작이 크다

신체동작이 작다

몸짓이 큰 쪽이 강하게 보인다

중요한 대화를 나눌 때는 몸짓이나 표정에서 조금 과장되게 표현하는 편이 상대의 호응을 이끌어내는 데 효과가 크다.

말을 할 때는, 무엇이든지 과장되게 유난을 떠는 것이 좋다.

상대의 말에 흥미가 있다는 사실을 '보여주고 싶다면' 그냥 표정이나 고갯짓만으로 조용히 반응하지 말고 "와, 정말?" 하며 활달한 몸짓을 통해 공감을 표하면 대화가 더 풍성하게 진행된다. 이것이 전달력을 강화하는 중요한 비결이라는 사실을 잊지 말자.

상대에게 어떻게 보이고 싶다 혹은 어떻게 보여야 한다고 생각하는 것이 있으면, 스스로 노력하는 데 그치지 말고 눈으로 보일 수 있을 만큼 과장되게 해야 한다. 그렇지 않으면, 미안하지만 의미 없는 일이다.

Point

될 수 있는 한 반론하되, 반드시 냉정하라

상대의 의견에 이의가 있을 때는 반론하지 않으면 안 된다.

누군가 "요즘 젊은이들은 스마트폰만 만지작거린다"라고 하면 즉시 "스마트폰을 이용하는 것은 좋은 일이다"라고 주장해보자.

누군가 "해외여행이 급격히 늘어나는 지금의 추세는 외화 낭비다"라고 주장한다면 "해외여행으로 행복을 추구하는 삶의 태도는 사회에 긍정적인 에너지로 돌아온다"고 말해주면 된다.

무엇보다 피해야 할 태도는 **우유부단하게 자기 의견을 한 마디도 건네지 못하는 것**이다. 자기만의 의견이 없다는 것은 존재감을 어필하지 못하는 결과로 이어지기 때문에 만만해 보이기 쉽다.

미국 캘리포니아 대학 심리학과 로라 크레이(Laura Kray) 박사는 협상을 전제로 대화를 나눌 때는 **'똑바로 자기주장을 펼치는 것'**이 가장 확실한 성공 비결이라고 강조했다.

다만 자기감정에 취해 화를 내듯이 큰소리로 말을 이어나가는 것이 아니라 어디까지나 합리적이고 논리적으로 차근차근 주장하는 태도여야 한다고 설명했다.

확실한 자기주장이란,

"나는 이렇게 생각해. 왜냐하면……"

이라고 **똑바로 근거를 제시하면서 침착하게 논리를 전개하는 일**이다. 말싸움하듯 그저 상대방의 의견에 대드는 행동은 역효과를 낳을 뿐이니 주의하길 바란다.

상대의 의견에 반하는 주장을 펼치면서 반드시 필요한 부분이 '왜냐하면'으로 시작되는 근거의 말이다. 그런데 순간적으로 상대의 주장이 옳지 않다고 생각하고 뭔가 말을 하려고 했지만 막상 근거 부분이 떠오르지 않을 때가 있다.

상대의 말이 분명히 옳지 않다는 것은 알겠지만 당당하게 반박할 논거가 부족하다. 한마디로 말해서, 이럴 때는 억지로 반론하지 않는 게 좋다. 왜냐하면 억지로 반론을 펼치기 시작하면 아무래도 감정이 앞서게 되고 근거 부족으로 횡설수설하여 오히려 마이너스가 되기 때문이다.

즉, 자기 나름의 근거가 애매할 때는 논의를 하지 않는 편이 좋다.

또한 상대방이 감정적이고 금방 흥분하는 타입이라면 아예 반론하지 않는 것이 바람직하다. 어디까지나 '될 수 있는 한' 반론하는 편이 좋다는 것일 뿐, 항상 그럴 필요는 없다.

또 하나의 테크닉으로 **질문 형식의 반론**이 있다.

"당신의 제안이 일리 있긴 한데, 그 방법으로 ○○까지 해결할 수는 없지 않을까요? **그 점은 어떻게 생각하시나요?**"

이렇듯 가볍게 상대의 허점을 지적해가면서, 어디까지나 질문할 뿐이지 반론이 아닌 것처럼 보이게 하는 기술도 있다. 상대방에게 정면으로 반론하고 싶지 않을 때는 이처럼 질문 형식으로 만들어 반론을 하는 것도 유용하다.

다시 말하지만, 대화는 목소리만 크다고 이기는 게임이 아니다. 자기만의 냉정한 논리가 동반되지 않으면 아무리 유창한 언변을 지닌 사람의 말이라도 녹음기에서 아무 맥락 없이 흘러나오는 말에 지나지 않는다는 사실을 잊지 말자.

상대방이 말하는 것에 이견이 있으면 확실히 반론해야 얕보이지 않는다. 하지만 '왜냐하면'을 말하지 않고 무조건 목소리만 높이면 된다는 식으로 중언부언하면 오히려 마이너스다.

Point

'거절을 잘하는 사람'의 표정과 기술

"만만하게 보이고 싶지 않을 때, 여러분은 어떻게 합니까?"

내 강의의 청중들에게 이런 질문을 하면 많이 돌아오는 대답 중 하나가 '곤란한 부탁에는 싫다고 분명히 말한다'는 것이다. 물론 상대의 부탁에 무턱대고 예스만 외치는 것보단 자신의 상황에 따라 거절하는 것이 좋다. 하지만 내가 말하고 싶은 것은 그러한 거절에도 대화의 기술이 필요하다는 점이다.

상대방으로부터 뭔가를 요구받았을 때 다짜고짜 거절하면 상대방의 기분이 상할 게 뻔하다. 타 부서의 선배직원이 찾아와 이런 부탁을 한다.

"○○ 씨, 당신이 컴퓨터를 잘 안다고 하던데, 그렇다면 부탁 좀……."

"싫어요."

이렇듯 딱 잘라 거절하면 사회생활을 하는 사람의 대응이라고 볼 수 없다. 거절할 때 거절하더라도 결코 거절하는 것만으로 끝내지 말아야 정말로 지혜로운 사람이다.

본래 거절이란 상대의 체면을 깎아내리고 심리적으로 상처를 입히는 행위다.

그러니 대안을 제시함으로써 상대의 기분을 어루만져주는 게 예의다. 단지 "싫다"는 말을 뱉어버리는 것으로 끝나는 게 아니라 **"그 대신 이렇게 하는 건 어떻겠습니까?"**라고 살짝 역제안을 하는 것이다.

가령 동료가 이번 프레젠테이션의 사회를 맡아달라고 부탁하는데 야박하게 딱 잘라 싫다고 하면 앞으로 그 사람과의 관계만 어색해질 뿐이다. 그럴 때는 이렇게 덧붙이자.

"사회는 자신이 없지만, 그 대신 서기를 맡으면 어떨까?"

이렇게 하면 거절의 뜻을 분명히 전하면서도 완전히 상대의 체면을 깎아내리지는 않았다. 이러면 하고 싶지 않은 역할을 피할 수 있었음은 물론이고 한편으로는 상대방으로 하여금 마음의 빚을 지게 만든 것이 된다.

또한 누군가에게 귀찮은 부탁을 받아 거절을 해야 할 때는 불쾌한 얼굴을 하지 말고 도리어 방긋 웃는 밝은 얼굴로 대하는 게 중요하다. 이 점에 관해 독일 하이델베르크 대학 심리학과 귀도 헤르텔(Guido Hertel) 교수는 이렇게 지적했다.

"사람이 밝은 기운을 지니면 다른 사람들과 충돌하게 되더라도, 다른 대안을 금세 찾아낼 수 있게 된다."

밝은 얼굴로 상대를 대하면 머리 회전도 빨라져서, 곤란한 상황에 처하더라도 금세 다른 좋은 대안을 내놓을 수 있다는 설명이다. 귀찮은 청소를 맡게 되거나 하기 싫은 역할이 주어져도, 유쾌한 기분을 유지하다 보면 훌륭한 대안을 내놓게 되고, 스스로 만족할 만한 방향으로 상황을 이끌 수 있다는 것이다.

결론적으로, **거절은 해도 좋으나 그 방법이 문제**라는 것을 기억하자.

상대방의 마음에 응어리를 남기지 않으려면 단순히 NO라고 거절하는 것으로 끝내지 말고 반드시 다른 대안을 제시함으로써 '전부 부정'하지 않고 있음을 보여주는 것이 현명하다. 이때 싱긋 웃어주는 밝은 표정을 지으면 머릿속에서 대안을 떠올리기가 더 쉽다.

상대방에게 싫다고 딱 잘라 거절하는 것은 될 수 있는 한 피하는 편이 좋다. 상대방의 마음에 감정적인 응어리를 남기기 때문이다.

잘 모른다는 것을 들키지 않는 '한마디'란?

공자가 어느 궁으로 군주를 처음 만나러 갔을 때의 일이다.

"여기에서 어떻게 처신하면 좋겠느냐."

공자가 좌우의 제자들에게 이것저것 마구 물어보는 모습을 본 어느 인물이 "당신은 스승의 입장인데, 아무것도 모르는 겁니까?"라고 비난했다.

그러자 공자는 침착하게 이렇게 말했다고 한다.

"여기서는 어떻게 할지를 확인했을 뿐이오."

"당신은 아무것도 모르는군"이라는 말을 들었을 때 "예, 아무것도 모릅니다"라고 솔직하게 대답하는 것도 정직해 보여 나쁘지는 않지만, 그것이 허용되는 것은 젊었을 때뿐이다. 어느 정도의 연령이 되면 경험이나 지식이 풍부하게 보여야 유리하며, 스스로 무지하다는 것을 노출하지 않는 게 좋다.

미시시피 대학의 폴 부슈(Paul Busch) 박사는 타인에게 자신의 말을 듣도록 할 때 '경험'과 '지식'이 필요하다고 한다.

그렇지 않으면 얕잡아 보기 때문이다. 만약 무지를 지적받는 상황이 되면 공자처럼 대답하는 법이 참고가 될 것이다.

다른 사람에게 이것저것 질문을 했는데 "정말 아무것도 모르는구먼, 자네는"이라며 상대방이 당신을 낮잡아 볼 때는 이렇게 한마디 해두면 좋다.

"모르는 것이 아니라, 다만 들어보고 싶었을 뿐인데요."

"일단은 좀 더 확실히 해두려고 물어본 것뿐입니다."

"확인을 했을 뿐입니다."

익숙하지 않은 업계용어나 경제용어를 듣게 되었을 때 나라면 알고 있는 척을 해서 그 상황을 모면하겠지만, "○○라는 게 뭔가요?" 하고 물어보고 싶은 마음이 드는 독자도 있을 것이다.

질문하는 것 자체는 상관이 없지만, 만약 모르는 것이 '엔고현상'이나 '디플레이션'처럼 흔히들 알고 있는 듯한 용어일 경우 자칫 질문을 하게 되었을 때 정말 무지해 보일 수 있다.

그래서 지극히 상식적인 것에 대해서 질문을 할 경우에는

"어디까지나 확인하는 건데요, ……"

라고 말을 꺼내는 편이 좋다. 그리고 상대방의 대답을 듣고 난 후엔 처음 듣는 것처럼 흥미로워하는 반응을 보일 것

이 아니라 "아, 그랬지"라고 가볍게 응답을 해주면 좋다.

또, 어설픈 지식이라도 희미하게 기억하고 있다면 "○○이란, △□를 말하는 것이지요?" 하고 물어보는 방식을 취하라. 그러면 완전히 모르지는 않는다는 어필을 할 수 있기 때문이다.

어느 정도 연령이 있다면 경험과 지식이 부족하다는 느낌은 주지 않는 것이 좋다. 모르는 이야기가 나와도 알고 있지만 확인하는 차원에서 질문한다는 뉘앙스를 풍겨야 한다.

COLUMN 2

매너가 좋으면 모든 일이 잘 풀린다

서구사회에서는 아이들에게 어려서부터 테이블 매너나 파티에서의 에티켓을 가르치는데, 이유는 매너가 나쁘면 인격까지 나쁘다는 평가를 받기 때문이다. 부모들은 '매너가 좋으면 모든 것이 좋다'면서 예절교육에 철저하다.

캘리포니아 대학의 로라 나우만(Laura Naumann) 교수는 훌륭한 매너가 그 사람의 모든 면을 멋지게 보이게 만드는 필수조건이라며 이렇게 덧붙인다.

"겉에서 보이는 것들이 그의 내면을 매우 잘 반영한다."

아무리 능력이 출중한 사람도 말투가 경박하거나 쩝쩝 소리를 내면서 식사하는 모습을 보이면 악평을 피할 수 없다. 어느 대기업의 CEO는 이제 막 회사에 들어온 신입사원들을 보면 그들의 장래는 처음 몇 주 안에 대부분 예측할 수 있다고 말했다.

"역시 매너가 좋은 젊은이들이 일도 잘하고 회사가 원하는 인재상에 부합하게 성장하더군요. 타인에게 너무 배려 없이 행동하는 사람은 대부분 얼마 가지 않아요."

"사회인의 가치는 일을 잘하냐 아니냐로 결정된다. 매너 따위는 그 다음이다!"

이렇게 말하는 사람도 있겠지만, 틀린 생각이다. 일의 성과가 좋거나 인맥이 넓은 사람은 사실 모두 매너가 뛰어나다.

우리가 매너를 익히는 기본적인 이유는, 다른 사람들을 불쾌하게 만들지 않기 위해서다. 타인을 불쾌하게 만드는 사람에게는 누구라도 접근을 꺼리기에 매너에 능통한 것이 사회인으로 살아남을 수 있는 필수적인 기술이라고 말해지는 것이다.

만약 멋진 매너에 대한 지식이 부족하다면, 상식 수준에서 될 수 있는 한 자신의 행동이 타인에게 '나빠 보이지 않도록' 조심해야 한다.

예를 들어 양식 예절에 자신이 없다면 거래처 사람과 양식당에 가는 걸 피하면 된다. 그렇게 하면 나이프와 포크 사용법에 서툴러도 사람들이 알아차리는 일은 없을 것이다. 악필이라면 타인 앞에서 메모를 적는 일을 피하고, 패션센스에 자신이 없다면 사람들이 모이는 파티에 나가지 않으면 된다.

그러나 가장 좋은 방법은 책이나 주변의 조언을 통해 자기 분야에 꼭 필요한 매너를 익히는 것이다. 이렇게 사회인으로서 언젠가 있을 상황에 대비해 미리미리 매너를 알아두면 적시에 써먹을 수 있으니 꼭 알아두기 바란다.

어쩌면 한 사람의 매너가 가장 빨리, 그리고 가장 확실하게 두드러지는 것이 스피치일 것이다. 누구와 대화를 나누다 보면 단번에 그 사람의 습관과 예의, 그리고 상식의 수준까지 두루 알아볼 수 있다.

평소에도 매너라는 관점에서 언어 습관을 개선해나가는 훈련이 필요하다. 그러기 위해 자주 스피치 기회를 가져 주위 사람들의 평가를 받으면 좋을 것이다.

단번에 관심을 집중시켜야 할 때의 팁

어느 톱모델이 미용실에 갔다. 수년간 이루 말할 수 없는 고생 끝에 꿈꾸던 패션잡지의 표지를 장식한 날이었다. 그런데 한없이 들뜬 기분으로 머리 손질을 받던 그녀는 탁자 위에 놓인 잡지를 발견하고 급격히 씁쓸해지고 말았다. 이미 여러 번 커피 잔 받침으로 쓰였던 듯, 사진 속 그녀의 얼굴은 동그란 커피자국으로 가득했기 때문이다.

이 작은 일화에서 보듯 우리 삶에서는 자신에겐 무척 특별하다고 생각되는 것이 상대에게는 그렇지 않은 경우가 많다. 대화도 그렇다. 내가 이야기하려는 내용, 열심히 준비한 프레젠테이션에 상대방은 그만큼 관심이 없다. 비즈니스 협상이나 중요한 거래처와의 미팅, 또는 처음 만난 사람과의 대화에서도 마찬가지다.

예를 들어 나는 화술을 주제로 강연을 할 때, 청중들이 모두 내가 하는 이야기에 집중하기를 바라지만 실상은 그렇지 않을 때가 많다. 회사의 지시를 받고 억지로 참석한 사람도 있고, 내용이 조금 궁금하기는 하지만 몇 번 화술 세미나에 참석했어도 별다른 효과가 없어 심드렁한 케이스도 있다.

이렇게 별 흥미가 없는데도 애써 참석한 사람들에게, 중요한 이야기라고 해서 추상적인 심리학 용어부터 꺼내며 강의를 진행하면 금방 잠이 쏟아져 버린다. 나도 몇 번이나 쓰디쓴 경험을 했다.

그런 사람들조차도 이야기가 재미있다고 느끼게 만드는 힘, 그것은 어떤 주제라도 가벼운 에피소드들을 활용하는 것이다.

에피소드나 체험담은 이야기를 알기 쉽게 하는 데 효과적이다. 나는 오랜 강의 경험을 통해 흥미로운 일화를 넣어 말을 이어나가면 참석자들이 마지막까지 제대로 이야기를 들어준다는 사실을 깨달았다. 그 이후로는 에피소드를 다량 활용하여 이야기하는 버릇이 생겼다.

특히 나만의 체험담이나, **부끄러운 기억, 얼굴이 화끈거리는 실수담을 넣어가며 이야기하면** 강의에 별 흥미가 없던 사람도 귀를 기울이게 된다. 이와 관련해서 흥미로운 실험을 한 심리학자가 있다.

미국 보스턴 대학교 줄리아 베리먼(Julia Berryman) 심리학 연구팀이 '하루에 여덟 잔의 물을 마시면 다이어트에 도움이 된다'는 속설을 이용해서 240명의 대학생들을 대상으로 두 종류의 실험을 해봤다.

하나는 이 문장을 사용할 때 난해한 의학용어를 써서 엄숙한 분위기로 설문조사를 하고, 다른 하나는

"나는 고등학교 때 비만이었는데, 하루에 여덟 잔 이상의 물을 마셨더니 살이 빠졌어"

라는 조금 사적인 경험담을 넣어 설문조사를 했다.

이렇게 두 종류의 문장을 읽게 한 결과, 다이어트에 관심이 있는 사람들은 전문적인 의학용어를 사용한 문장에 설득됐고, 다이어트에 별로 관심이 없는 사람들은 흥미로운 에피소드가 포함된 문장에 설득됐다는 것이 밝혀졌다.

이런 실험 결과는 다음과 같은 결론을 이끌어낸다.

'만약 내가 말하려는 주제에 **홍미를 느낄 법한 사람을 상대로 말하는 것이라면 조금 전문적인 용어들을 구사해도 괜찮다.** 그렇게 해도 자기들의 관심 분야이니 끝까지 들어주기 때문이다. 반면에 별로 흥미가 없을 법한 사람을 설득할 때는 흥미진진한 에피소드를 섞어 가볍게 말하는 편이 그들의 관심을 이끌어내는 방법이다.'

초등학교 윤리 교과서에 이런 내용이 나온다.

"이웃에 선행을 베풀면 그 선행은 반드시 내게 돌아온다."

더없이 좋은 말인 것 같지만 이런 문장엔 근본적인 문제가 숨어 있다. 선행에 대한 구체적인 설명이 빠졌다는 것이다. 선행의 기준은 사람마다 다르고, 누군가에게는 선행이지만 다른 사람에게는 불편한 일이 되는 경우도 있다. 그러니 이런 추상적인 말에 흥미가 없는 아이는 시간이 갈수록 꾸벅꾸벅 졸기 십상이다.

반대로 에피소드를 섞어서 이야기하면 어떨까?

"여러분, 사막에 사는 흡혈박쥐는 굶주린 동료가 있으면 아무리 배가 고파도 자기 뱃속의 피를 반드시 나눠 줍니다.

같은 주제의 이야기라도…

왜 그럴까요? 그렇게 해야 나중에 자신이 굶주리게 되면 동료에게 음식을 나눠 받을 확률이 높아지기 때문입니다."

이런 식으로 말하면 아이들이 흥미를 보이며 나눔의 의미에 대해 공감하게 된다. 즉 적절한 사례를 곁들일 수 있느냐의 여부는 스피치의 성패를 좌우할 수 있다.

Point

흥미가 없는 사람에게 딱딱한 이야기를 해봤자 당연히 무시당하게 된다. 그들의 흥미를 끌기 위해서는 내용에 공감할 만한 에피소드나 체험담을 포함하는 편이 좋다.

누구나 ○○한 이야기에 귀를 기울인다

사람들에게 말을 할 때는 듣는 쪽에서 '참 재미있다. 다른 사람한테 꼭 말해줘야지' 하는 생각이 드는 내용이 좋다. 말을 들어주는 사람이 그 이야기를 다른 누군가에게 전하고 싶어 한다면 내용이 흥미로웠다는 증거이기 때문이다.

말을 잘한다는 것은 입에서 입으로 옮겨가는 이야깃거리를 제공하는 일에 능숙하다는 뜻이기도 하다.

그렇다면 **우리는 무슨 이야기를 들으면 타인에게 전하고 싶어 할까?**

'재미있는' 또는 '흥미로운' 이야기는 그렇게 느낄지 어떨지가 듣는 사람에 따라 다르기 때문에 반응을 예측하기가 무척 어렵다. 하지만 대다수 사람들이 공통적으로 관심을 갖고 제삼자에게 전하도록 만드는 비법이 있다.

바로 **조금의 공포심을 느끼게 하는** 것이다.

공포심을 조성하는 '무서운 이야기'는 누구나 관심을 갖고 귀를 기울이게 된다는 말이다.

미국 조지아 사우스웨스턴 주립대학 심리학과 엘렌 코터(Ellen Cotter) 교수는 미국의 여러 도시에서 유포되고 있는 15가지 기괴한 이야기들을 모아 학생들에게 전달했는데, 그들이 공포심을 느낀 이야기일수록 다른 사람들에게 더 빠르고 넓게 전파된다는 사실을 알아냈다.

이때 코터 박사가 전달한 이야기는 대학 캠퍼스에 출몰하는 유령 이야기, 알몸으로 피를 흘리며 집안일을 하는 주부 이야기, 선탠용 베드에서 돼지 내장을 조리하는 남자 이야기 등 말만 들어도 기괴하고 으스스한 내용들이었다.

이 연구는 단지 도시의 뒷골목에 출몰하는 기담을 바탕으로 한 것이지만, 그 주제가 정치나 경제 분야로 확대되어도 공포감을 주는 이야기는 사람들의 흥미를 끌게 된다.

"저 은행, 재정 상태가 안 좋아 얼마 못 간다는군."

"이대로 가면 반 년 뒤에 경제 불황이 본격적으로 시작된다는 말이 돌고 있어."

"군사전문가들은 3차 세계대전 가능성도 언급하고 있다는데, 정말 전쟁이 일어날까?"

막연한 소문이고 논리적으로 입증된 사실이 아니라 할지라도 공포를 느낄 만한 내용이 들어가면 상대방은 "그래?

그건 몰랐는데?" 하며 흥미를 느끼게 된다.

심리학자들은 우리가 이렇게 공포를 느낄 만한 정보에 귀를 기울이기 쉬운 이유는 그런 정보를 재빠르게 접할수록 자기방어를 할 수 있을 것 같은 기분이 들기 때문이라고 설명한다.

이는 개인 사이의 대화에도 그대로 적용되니 다른 사람들이 흥미를 느끼며 들어줄 만한 이야깃거리를 들으면 그때마다 메모해놓고 언제든 적당한 때 활용하도록 하자.

나도 심리학 강의를 할 때 곧잘 이런 이야기를 곁들이곤 한다.

"……하면 직장에서 미움을 받습니다."

"……하면 수명이 단축된다고 하니 유의하세요."

"……하면 다이어트에 방해가 된다고 하니 피하기 바랍니다."

사람들이 갖고 있는 나이듦에 대한 공포, 미움 받는 것에 대한 잠재적 불안감 등을 소재로 이야기를 진행하면 대부분 귀를 쫑긋 세우고 흥미로워한다. 일단 이렇게 사람들의 관심을 모아놓고 강의의 본론으로 자연스럽게 이끌어가면 그날은 효과도 반응도 모두 좋은 경우가 많았다.

다만 사람들에게 공포심을 심어주려고 너무도 황당무계한 이야기를 해서는 안 된다. 엘렌 코터 교수의 조사에 의하면, 공포심을 조성시킬 만한 이야기는 좋지만 너무 믿을 수 없을 정도의 내용인 경우에는 상대방이 무시해버린다는 것도 밝혀졌다.

어느 정도의 리얼리티가 없으면 황당하기 그지없다며 일축해버리니 유의하자. 이야기에 현실성을 더하기 위해서는 **될 수 있는 한 상세히 묘사하는 것**을 신경 써라. 디테일을 신경 쓰면 쓸수록 이야기의 신빙성이 높아지기 때문이다.

타인이 흥미를 갖고 들어줄 만한 이야깃거리를 들으면 그때마다 메모해서 모아두면 좋다. 그런 이야기들은 언제고 상대의 관심을 나에게 집중시키는 자산이 된다.

나를 돋보이게 연출하는 가장 빠른 방법

오드리 헵번 주연의 영화 〈마이 페어 레이디〉에서는 언어학자인 헨리 히긴스 교수가 거리에서 꽃을 팔던 부랑자 여인 일라이자 두리틀에게 언어 교습을 하게 되는 내용이 나온다. 하층 계급의 사람을 세련된 귀부인으로 변모시킬 수 있는가를 친구와 내기한 것인데, 그녀가 상류층의 말씨와 제스처, 억양을 익히기까지는 상당한 우여곡절이 펼쳐진다.

"Rain in Spain" (스페인의 비)

※ 오드리 헵번, 〈마이 페어 레이디〉 중에서

영화가 보여주듯 같은 영어를 쓰는 사람들이라도 상류사회와 하층 계급에 속하는 사람들의 영어는 서로 다르다. 같은 상황을 표현하는 말이라도 말씨나 단어가 다르게 사용되는 것이다. 상류사회는 일부러 품격 있고 고풍스러운 표현을 통해 **'나는 당신들과 다르다'**는 **차별화**를 일으킨다.

의사들 역시 의무 기록을 쓸 때 최대한 전문용어를 사용해서 환자와의 차이를 두려고 한다. 그렇게 함으로써 자신의 위엄이나 전문성을 높이려는 것이다.

대화를 나눌 때, 일부러 어려운 단어를 곁들이거나 영어나 프랑스어 같은 외국어를 살짝 섞어서 말해보라. 어딘지 모르게 전문가처럼 보일 것이다. 인문사회 계열의 논문은 자세히 들여다보면 내용이 별 것 아닌 것도 많은데, 꽤나 난해한 술어를 비유적으로 사용하고 있기 때문에 언뜻 보면 굉장한 글처럼 보인다.

대학교 때 한 교수님은 예를 들어

'머릿속에서 생각한 것' × → '내면적 표현' ○

'세상의 룰' × → '사회적 규범' ○

위처럼 간단한 말을 어렵게 바꿔 말하곤 했다. 단어에 따라 전혀 다른 뉘앙스를 풍긴다는 사실을 그 교수는 잘 알았던 것 같다.

자신을 위엄 있게 보이도록 연출하는 가장 빠른 방법은 전문가처럼 말하는 것이다.

펜실베이니아 대학 심리학과 교수 아치 우드사이드(Arch Woodside) 박사는 이렇게 말했다.

"전문용어를 자주 사용하며 영업을 하면 일상적인 용어만 주로 사용하는 영업사원보다 소비자의 믿음을 받고 상품을 판매하기도 쉽다."

그러기 위해서는 평소에 독서를 통해 언어 습관에 변화를 모색하는 게 최선이다. 내가 아는 어느 경영자는《언어표현 백과사전》이라는 책을 구입해서 마치 중고등학교 시절에 영어 단어를 외웠던 것처럼 달달 암기했다. 그렇게 시작된 습관은 얼마 안 가 그를 고급스런 언어 표현의 장인으로 만들었다.

말을 할 때 고급스런 단어 하나, 품격 높은 문장 하나, 적절한 사례가 곁들여지는 것만으로도 사람이 달라 보인다.

이런 식으로 '이 사람은 뭔가 다르구나' 하는 첫인상을 심어주었다면 그 대화는 성공했다고 볼 수 있다.

전문용어를 사용하는 것은 자신을 그럴듯해 보이도록 연출하는 가장 빠른 방법이다.

자연스럽게 멋있어 보이는 몇 가지 말투

사람의 뇌는 매우 우수해서, 조금 부족한 부분이 있으면 그것을 보충하려고 하는 경향이 있다.

예를 들면,

'오늘은 아침부터 계속 (   )가 내리고 있어서 기분이 우울하다.'

이와 같은 문장을 봤을 때, 사람은 누구나 괄호 안에 자연스럽게 '비'라는 단어를 채워 넣고 이해하려 한다. 누구에게 명령을 받은 것이 아닌데도 뇌는 부족한 것을 척척 채우려는 움직임을 보인다.

그러한 **인간의 좋은 머리를 역으로 이용하는 대화법**이 있다.

당신이 누군가에게 이렇게 말한다고 치자.

"올해는 너무 바빠서 아직 외국에 나가지 못했어."

이러면 듣는 사람은 '그렇다면 작년까지는 빈번하게 나갔다는 말이군'이라고 추측하며 당신이 자주 해외에 나가는 사람이라는 인상을 받을 것이다. 당신이 태어나서 한 번도

해외에 나간 적이 없더라도 절대로 거짓말을 하고 있는 게 아니다. 왜냐하면 올해는 아직 외국에 나가지 못한 게 사실이기 때문이다.

대화법 중에는 이렇게 상대방에게 자기 뜻대로 추측하게 만들어 내가 원하는 이미지를 심어놓는 방법이 있다. 만약 공부를 잘하는 이미지를 어필하고 싶다면 이렇게 말할 수 있다.

"지난 이틀간 영어 공부를 하지 않았네. 오늘은 꼭 해야겠어."

사실은 지난 일주일 동안, 아니면 지난 몇 달 동안 쭉 영어 공부를 하지 않았음에도 이렇게 말하면 평소에 매일 공부하고 있는 듯한 착각을 불러일으킬 수 있다.

이런 식의 말투에서 장점은 결코 거짓말을 하지 않는다는 것이다. 단순히 거짓말을 하는 편이 편할 수도 있겠지만 그런 행위에 저항감을 느끼는 사람들이라면 이렇게 살짝 방향을 바꿔 말을 하면 된다.

사실은 나도 이런 화법을 종종 사용하고 있다. 누군가 나에게 요즘도 변함없이 바쁘냐고 물을 때가 있다. 이때 솔직하다는 인상을 주려고 스케줄이 텅텅 비어 있다고 말해버리면 내가 잘 안 팔리는 작가라는 사실이 들통날 것이다. 그렇다고 없는 일을 억지로 꾸며서 나를 부풀릴 수는 없기에, 나는 이렇게 대답하곤 한다.

"겨우 최근에서야 조금 시간이 나게 되었답니다."

이렇게 대답하면 평소에는 스케줄로 꽉 차 있는 것으로 생각하도록 만들 수 있고, 그렇게 바쁘다니 잘나가는 작가라는 인상을 줄 수 있다.

자신의 가치를 업신여기게 만드는 일은 결코 해서는 안 된다.

내가 얼마나 중요한 존재인지를 어필하기 위해서는 이처럼 자연스럽게 상대방의 착각을 유도하는 화법을 구사하도록 하자. 거짓 포장은 하지 않아도 된다. 때와 장소에 따라 나를 가볍게 취급하지 않도록 지혜롭게 자기연출을 하는 것도 훌륭한 대화 테크닉이라는 사실을 잊지 말자.

우리의 뇌는 빈 곳이 있으면 채우려고 하는 습성이 있다. 일부러 최근의 상황을 강조함으로써 지난 상황까지 추측케 하면 거짓말을 하지 않고도 나를 포장할 수 있다.

제3장

이야기는 '전달되지 않으면' 의미가 없다

노력 없이도
대화가 술술 풀리는 테크닉

CASE 3

도쿄대생의 면접, 무엇이 문제였을까?

스물일곱 살의 취업준비생 마쓰시타 료의 가장 큰 난관은 '면접'이었다.
수십 군데 서류를 넣었고 그중에 절반 이상 서류 통과도 했지만,
매번 면접 단계에서 고배를 마시고 말았다.
더 기분이 상하는 일은, 자기보다 준비 기간도 짧았고 대외활동도
많이 없었다고 생각되는 동기들이 속속 취업에 성공하고 있다는
사실이었다. 학력 또한 도쿄의 유명대학을 나온 료만큼은 아닌
친구도 있었다. 대체 뭐가 문제란 말인가? 아무리 봐도 납득할 수 없는
상황에 화가 나기만 했다.

어느 날, 컨설턴트와 마주앉은 그는 깜짝 놀랄 말을 듣게 되었다.
"마쓰시타 씨의 모의면접을 보니, 뚜렷한 문제가 보였어요.
말은 정말 유창하지만 전체적인 내용이 무슨 말인지 바로 이해가
안 되네요. 결론이 무엇인지 파악하기가 힘들어요."
유창한 언변이라면 언제나 자신 있다고 생각해왔는데, 요지를
알 수 없는 대답이었다니 너무 기가 막혔다. 컨설턴트는 또 말했다.
"또 하나의 문제는 다른 지원자들이 말하는 동안에 고개를
지나치게 끄덕입니다. 많이 끄덕인다고 호감을 사는 게 아니에요.
오히려 이야기가 아예 귀에 안 들리고 있거나 자기 생각이 없는
사람처럼 보일 위험이 있습니다."

이번에는 상대의 말에 귀 기울이는 모습에 문제가 있다는
지적이었다. 경청은 대화의 처음과 끝이라고 늘 주의받은
부분이었다. 그래서 잘 듣고 있음을 제스처로 표현하고자 한 것인데
역효과라니 의외였다.

료는 설명을 듣고 지난 면접들을 떠올렸다.
컨설턴트의 말이 사실이라면, 나름대로 막힘없이
답변했음에도 불구하고 면접관들의 후속 질문이
많이 오지 않은 것은 기분 탓이 아니라 이유가 있는 일이었다.
어떻게 하면 좋을까? 자신의 성격과 밀접하게 결부되는
언어 습관이 하루 이틀에 고쳐지는 게 아니라는 걸 알기에
료는 막막하기만 했다.

상대방이 이해했다고 생각하지 마라

'내가 하는 말이 상대방에게 100퍼센트 그대로 전달된다'는 착각을 버려라.

사실은 70~80퍼센트 정도밖에 전달되지 않는다고 분명히 전제해두는 편이 좋다.

시카고 대학 보아즈 케이사(Boaz Keysar) 박사의 심리학 연구팀은 80명의 학생을 대상으로 말하는 역할과 듣는 역할을 나눈 다음, 말하는 쪽에 문장을 건네주고 듣는 사람에게 읽어주라고 했다.

그러고 나서 말하는 쪽에게는 "당신의 말을 상대방이 얼마나 이해했다고 생각합니까?"라고 묻고, 듣는 쪽에게는 "당신은 방금 들은 말을 얼마나 이해했습니까?"라고 물었다.

그러자 말하는 쪽에서는 평균적으로 72퍼센트 정도는 이해했을 것이라고 추측했다.

그런데 듣는 쪽에서는 평균적으로 61퍼센트밖에 이해할 수 없었다고 말했다.

이로써 알 수 있는 사실은 **말하는 사람은 상대방의 이해도를 과잉추정**한다는 것이다. 그렇기에 세상 곳곳에서는 누구는 분명히 말했다고 하고, 누군가는 전혀 듣지 못했다고 하는 일이 벌어지는 것이다.

커뮤니케이션 전문가들은 대화의 효과를 높이려면 조금 장황하다는 느낌이 들 정도로 자세히 설명하는 게 좋다고 말한다. 같은 표현이라도 단어를 바꿔 거듭 강조하거나 더 구체적인 사례를 첨가하면 전달력은 그만큼 커진다는 얘기다.

독자 여러분 중에는 '어? 설명은 최대한 간단하게 하는 게 좋다고 들었는데'라며 이율배반적으로 느끼는 분도 있을 것이다.

분명 중요한 요점만 응축하여 간명하게 말할 수 있다면 바람직하지만, 그렇게 할 수 있게 되는 데엔 꽤 오랜 훈련이 필요하다. 아직 그러한 경지까지 이르지 않은 사람이라면 차라리 상대방이 조금은 부담을 느낄 정도로 끈질기게 설명하는 편이 좋다.

듣는 사람의 얼굴을 잘 관찰하면 여러분의 말을 이해하는지 못하는지 바로 알 수 있다. 잘 이해하지 못하고 있는 사람의 얼굴에는 금방 불안한 표정이 떠오르므로 이럴 때는,

"달리 말하자면……"

"지금 한 말을 조금 보충하자면……"

이라는 설명을 더 붙여주는 것이 말하는 사람으로서의 배려라고 할 수 있다.

상대는 내가 한 말을 100퍼센트 이해하지 못한다.
이 사실을 늘 유념하고 있으면 오해로 인한 싸움이나 비즈니스에서의 미스커뮤니케이션이 줄어들 것이다.

"요컨대…"를 활용하면 머리가 좋아 보인다

말할 때는 조리가 있어야 한다. 이야기가 이쪽으로 갔다, 저쪽으로 갔다 하면 '논리적이지 않은 사람'이라는 판정을 받을 우려가 크다. 화젯거리가 두서없거나 이야기의 전개가 어떻든지는 상관없지만, 대화 마지막 부분에는 결론이나 요점을 반드시 한마디로 나타내는 게 좋다.

발언의 전체적인 내용이 한마디로 정리될 수 있도록 확실히 표현하게 되면 아무리 그전에 지리멸렬하게 말을 했어도 상대방의 이해도는 각별히 높아지게 된다.

"요컨대 이러저러한 뜻으로 드린 말씀입니다."

"지금까지 드린 말씀을 한마디로 하자면……."

이런 느낌으로 설명을 해주면 상대방은 이 **'최후의 정리'로 인해** 당신의 이야기 전체를 이해했다는 느낌이 든다.

학교 선생님도 교수법이 출중한 사람은 수업시간 마지막에 반드시 "오늘 공부한 것 중에 A와 B는 확실히 머리에

담아두세요"라고 아이들의 뇌리에 각인되도록 가르친다.

대학에서 명강의로 알려진 교수들은 대부분 요점 정리의 대가들로, '즉 ……인 것' 식의 요약 능력이 있기에 학생들은 전체적인 이야기를 이해할 수 있다는 기분이 들게 된다.

대화에서는 군데군데 이야기를 이해할 수 없어도, '요컨대 이것!'이라는 사실만 납득시킬 수 있다면 그것으로 충분하다. 사실은 이해하지 못했지만 '아는 듯한 기분이 들게' 했기에 그것으로 충분하다는 얘기다.

이렇게 아는 듯이 만들었지만 사실은 속속들이 이해하지 못하는 현상을 **'파인만 효과**(Feynman Effect)'라고 한다. 이 말은 노벨물리학상 수상자로 유명한 미국의 물리학자 리처드 파인만(Richard Feynman) 교수의 이름에서 유래된 것이다.

양자역학의 대가였던 파인만 교수는 강의 말미에 단 몇 마디로 그날의 강의 내용을 요약정리해서 전달하는 습관이 있었는데, 어찌나 쉽고 재미있게 강의를 하는지 누구나 전부 이해한 것 같은데 돌아서면 아리송해하는 학생이 많았다고 한다.

요점을 솜씨 좋게 정리하는 사람은 스피치에 능할 뿐더러 머리도 영리해 보인다. 그러고 보면 머리가 좋은 사람은 전체를 요약해서 전달하는 능력이 뛰어난 경우가 많은데, 소설이나 영화 내용을 간단명료하게 잘 설명하는 사람은 대부분 말을 잘한다는 평가를 듣는다.

소설이나 영화, TV 드라마를 보고 줄거리를 간단하게 녹음한 다음에 이를 다시 들어보며 훈련을 거듭하면 전체적인 내용을 한마디로 정리하는 능력이 생기니 이 기회에 연습해 보기 바란다.

이야기 내용이 지리멸렬했어도 결론이나 요점을 한마디로 정리해주면 상대방은 전체 이야기를 이해한 듯 느낀다.

긴장되는 미팅을 성공으로 이끄는 요령

펜실베이니아 주립대학 카렌 개스퍼(Karen Gasper) 교수는 다양한 심리 실험을 통해 마음의 여유가 없는 사람은 '시야가 좁아'지는 경향이 있다고 말하면서, 그 때문에 빤히 보이는 상황조차 눈에 들어오지 않는 경우가 생긴다고 덧붙였다.

예를 들어 거래처 사장과 미팅을 할 때 너무 긴장하면 차를 건네주는 비서의 얼굴이 전혀 눈에 들어오지 않는다. 심지어 고맙다는 인사도 건네지 못하고 자기가 할 말에만 집중한다.

하지만 마음에 여유가 있는 사람은 차를 내오는 사람을 포착하고 이야기 중이라도 말을 건넨다.

"그런데, 직원분 정도의 나이대라면 이 상품이 어떨 것 같으세요?"

여유가 있는 사람은 미팅에 관계없는 사람도 자신들의 이야기 속으로 끌어들여 이렇게 말을 걸 수 있는 것이다.

만약 젊은 여성을 대상으로 하는 상품을 영업하러 갔을

때 차를 내온 사원이 여성이라면 저런 질문을 해볼 수 있고, 사원이 "음, 저는 멋진 디자인인 것 같습니다"라고 말해주는 것만으로도 영업하려는 상품에 대한 흥미를 일으킬 수 있다. 이는 거래처의 마음을 움직이는 데 도움을 줘 실제로도 원하는 결과로 이어지는 일이 많다.

거래처 사람과 택시를 같이 타고 식사하러 가는 도중에도 그 사람과만 대화를 나누는 것은 바람직하지 않다. 이때 기사분을 대화 속으로 끌어들여 보자.

"저쪽에 있는 가게, 분위기가 매우 좋다고들 하던데요. 기사님, 정말 그렇습니까?"

대다수의 택시기사분들은 손님이 하는 말에 반대를 하지는 않기 때문에 "예, 그렇다고들 하더군요"라고 동의를 해줄 것이다. 그렇게 가벼운 말이라도 건네면 거래처 사람과의 긴장감도 줄어들고 대화가 부드러워진다. 만약 상대방이 비서를 동행했다면 비서에게도 반드시 말을 걸어보는 것이 좋겠다.

또한 주변 상황 정보를 모두 흡수하고 이를 대화에 적절히 활용하는 방법도 있다. 예를 들어 고객의 사무실에 들렀을 때 멋진 도자기가 있으면 즉시 관심을 보인다.

거래처나 미팅 장소에 들어서면…

"정말 품위와 운치가 있는 도자기 같군요. 누구 작품인지 말씀해주시겠어요?"

누구나 상대가 자기의 애장품에 관심을 보이면 자신의 안목을 알아준다고 믿고 기분이 좋아진다. 만약 상대방의 취미가 골프라는 정보를 들었다면 이렇게 시작해본다.

"저도 골프를 배우고 싶은데, 어떻게 시작하면 좋을까요?"

이 한마디만으로도 고객은 자기만의 노하우라며 골프 이야기에 열을 올릴 것이다.

유능한 세일즈맨들은 이처럼 고객을 만날 때 자기가 팔려는 상품에 대한 이야기는 최대한 뒤로 미룬다. 대신 날씨나 여기까지 오는 동안의 교통문제 같은 주변 상황을 끌어들여 얘기하고, 사전 정보가 있다면 취미나 뉴스 같은 공통의 관심사가 될 만한 이야기로 대화를 시작한다. 그만큼 빨리 마음의 문을 열 수 있다는 점에서 이런 식의 대화는 성공 가능성이 높다.

목표를 둔 것만, 목표를 둔 사람과만 이야기하는 것은 하책 중의 하책이다.

시야를 넓혀서 주위의 전혀 상관없는 요소를 끌어들이는 편이 대화를 잘 흘러가도록 만드는 비결이다.

상관없는 사람에게도 가볍게 말을 걸어보자. 그렇게 하면 상대방에게 당신은 여유를 잃지 않는 사람으로 보일 것이다. 그리고 주변 사람들에게 말을 걸다 보면 스스로의 긴장감을 푸는 데도 도움이 된다.

예상되는 질문에는 반드시 반격을

"너무 비싸지 않아요?"

고객의 이런 질문에 적절히 대응하지 못하고 얼굴을 붉히며 당황하는 판매원을 자주 본다. 고객이 터무니없는 가격 인하를 요구하면 판매하는 입장에서는 당연히 곤란해진다.

하지만 **너무 비싸다고 불평하는 것은 고객의 입버릇** 같은 것이기에 어차피 그렇게 말할 상황쯤은 미리 예상할 수 있다. 그런데도 왜 적절하게 대답이 될 만한 말을 미리 준비해두지 않는지 의아스럽다.

준비 부족이었기에 당황한 것일 뿐 사전에 준비해두면 아무것도 두려울 게 없다. 아무리 고집이 세고 남에게 지지 않는 성미의 어른이라도 전혀 예상치 못한 기습을 당하면 어린 아이들에게조차 지고 만다. 반대로 **공격받을 것을 전제로 격퇴용 발언을 사전에 준비해두면, 그 어떤 난폭한 상황도 이겨낼 수 있다.**

미국 듀크 대학의 앤드류 카튼(Andrew Carton) 교수는 사전에 준비해두면 어떤 상황에서도 나름의 훌륭한 대처가 가능하다고 말한다. 대표적으로 면접 상황이 있는데, 면접관들이 이런 것을 물어보겠지 하고 미리 질문을 예상해서 세밀하게 모의 답안을 준비해두면 쉽사리 당황하지 않게 된다.

상대가 "지금 좀 바빠"라는 대답을 하며 무시하는 경우에도, 처음부터 그렇게 대답할지 모른다고 예상해서 준비해둘 수 있다.

"그럼 다행이네. 나도 긴 대화는 좀 곤란했는데. 1분 안에 끝날 거야."

부드럽게 웃으면서 위와 같이 말하면 상대방도 이런 대처를 해올 것이라고는 생각도 못했기 때문에 결국 내 쪽의 말을 듣게 될 확률이 높아진다.

탁월한 능력의 영업사원일수록 대처법이 능숙한데, 그들의 행동이 단순히 순발력 때문에 나오는 것이라고 생각하면 오산이다. 그들은 몇 번이나 거절을 당하는 동안 고객의 '거절 패턴'을 발견하고, 앞으로 또다시 거절을 당할 때는 어떻게 대처해야 한다고 하는 자기만의 대응법을 생각해낸 것이다.

따지고 보면 그들은 **머리 회전이 빠른 말솜씨의 달인이라기보다는 오히려 겁쟁이**에 가깝다. 겁쟁이이기 때문에 거절당할 상황을 예상하고 미리미리 준비할 뿐이다.

미팅이나 협상, 토론, 회의 등 어떤 상황에서도 이 원칙은 적용된다. 가령 회의 중에 매출 증대 방안을 얘기해보자는 방향이 되었을 때, 다른 직원들이 우왕좌왕하는 사이에 평소 나름으로 준비한 안건을 명료하게 브리핑한다면 설령 덜 익은 아이디어라도 노력했다는 모습으로 비치고 어쩌면 윗사람으로부터 이런 말을 들을지도 모른다.

"자네의 의견 중에 A안은 쓸모가 있으니 좀 더 세밀하게 기획안을 만들어 제출해보게."

현재 대부분의 기업에서 동료들보다 한 걸음 앞서 나가는 사람은 과거에도, 지금도 이런 방식으로 일하고 있다.

사전에 준비만 하면 어떠한 말을 듣더라도 버드나무가 바람에 나부끼듯 순순히 받아넘길 수 있다. 면접 등을 순발력으로 대처하겠다는 것이 가장 위험한 태도다.

COLUMN 3

누구나 자신에 대해서는 채점이 관대하다

사람은 자신의 실력이나 역량을 잘못 파악하는 경향이 많다. 특히 실력이 없는데도 굉장한 능력의 소유자인 양 자신을 과대 포장하는 일이 잦아서 자주 실패하게 된다.

내 지인 중에 자기가 이룬 실적과 능력이라면 더 많은 월급을 받아야 된다고 생각한 사람이, 상사에게 담판을 지으러 갔다가 이런 말을 내뱉고 말았다.

"월급을 올려주지 않으면 다른 회사로 옮기겠습니다. 저 같은 인재를 원하는 회사는 얼마든지 있습니다."

이렇게 용기 있게 들이댄 결과, 그는 직장을 잃었을 뿐만 아니라 새로운 직장을 찾을 때까지 굉장히 고생했다고 한다.

사람은 자기 자신을 정말로 좋아해서, 자신이 지니고 있는 역량에 대해 부풀려 평가하는 경향을 보인다.

자신의 아이를 천재라고 믿어 의심치 않는 부모가 많은

것도 이 때문으로, 그런 까닭에 평범한 아이들이 어려서부터 영재 교육을 받느라 엄청나게 고생하는 일이 많은 것이다.

미국 코넬 대학 토마스 길로비치(Thomas Gilovich) 교수는 5인 1조로 구성된 열 개 그룹을 만들어 그룹끼리 거짓과 진실을 교차하여 대화를 나누게 해보았다.

이때 48.8퍼센트의 참가자들이 자신은 다른 사람들이 하는 거짓말을 확실히 알아차리고 있다고 믿었다. 하지만 실제로는 단지 25.6퍼센트만 상대의 거짓을 알아차렸을 뿐 나머지는 자신의 능력을 과신하며 상대의 말을 곧이곧대로 믿었다.

우리가 자기의 능력을 지나치게 높이 평가하고 있다는 사실을 증명하는 사례는 차고도 넘친다. 사람들에게 '자신의 인기도가 어느 정도라고 생각하는가?'라고 물으면, 대부분 실제 이상으로 자신을 높이 평가한다는 사실을 알 수 있다.

이 같은 이야기는 우리에게 겸손함의 중요성을 말해준다.

'나의 말솜씨는 그렇게 뛰어나지 않다.'

'나는 사람의 마음을 움직일 만한 문장 실력이 없다.'

이렇게 겸손한 마음가짐을 갖고, 그렇기에 자신을 더 성장시키자고 하는 의욕을 불러일으키는 모습이 좋은 것이다.

(실제: 대부분은 그렇지 않음)

그런 점에서 "나는 말하는 게 서툴다"고 공언할 정도로 겸손한 태도를 취한다면 그런 사람은 자기의 약점을 극복하려 한층 더 노력할 것이고, 그 결과 대화와 소통에서 훌륭한 능력을 발휘하는 사람으로 성장할 것이다.

피겨스케이팅 선수와 대화법 달인의 공통점

어느 피겨스케이팅 선수가 4회전 점프를 열심히 연습해서 실제 시합을 앞두고 몇 차례 성공했는데, 막상 경기가 시작되려니 너무 긴장한 나머지 생각대로 몸이 움직이지 않는다는 걸 알게 되었다.

그 선수는 어떻게 할까? 무리해서 4회전 점프에 도전하는 걸 포기하고 3회전 반으로 변경할 것이다. 실제 시합에서는 이런 일이 비일비재한데, 굳이 모험을 하느니 안전한 경기로 감점을 당하지 않는 편이 좋다고 생각하기 때문이다.

피아노, 바이올린 같은 음악 연주에서도 평소 연습 때는 아무리 잘해도 큰 무대를 앞두고 긴장하게 되면 불안감이 엄습해서 마음대로 되지 않는다. 그래서 스포츠 선수나 음악 연주자들은 자신의 컨디션에 끊임없이 신경을 쓰면서 금방이라도 작전을 변경할 수 있도록 단단히 준비한다.

대화법도 마찬가지다. 평소에는 수백 명 앞에서 전혀 긴장하지 않고 청산유수로 말하던 사람이 한 사람의 고객을

앞에 놓고는 느닷없이 흥분하는 경우가 있다. 이처럼 **평소와는 다른 마음상태와 마주칠 때는 목표를 낮추어 실패를 피하는 편이 바람직하다.**

내게도 그런 경험이 있다. 나는 강연이나 세미나에서 청중을 상대로 말하는 일에 익숙한 편이라 어느 자리에서도 좀처럼 긴장하지 않는다.

그런데 몇 년 전에 아들이 다니는 초등학교 학부형 모임에서 잠깐 스피치를 하게 되었는데, 갑자기 패닉 상태에 빠질 정도로 긴장하고 말았다. 정말이지 나 자신이 깜짝 놀랄 정도로 긴장감이 엄습했다.

그래서 평소 같으면 사람들을 즐겁게 하기 위해 가벼운 유머 몇 마디 섞어가며 말을 이어갔겠지만 그날만은 3분 정도 아주 간단하게 스피치를 했다. 그런데 이게 웬일인가. 다른 때보다 훨씬 더 큰 박수를 받았고, 나중에는 말씀 잘 들었다는 인사까지 받았다.

사실 스피치는 짧을수록 좋은 것이기에 간단명료하면 듣는 사람들이 고마워하는 것은 물론이고 나쁜 평가를 받을 여지도 줄어든다. 원래 10분 정도의 발언 시간을 준비해 갔더라도, 여유가 없어졌다면 작전을 바꿔 5분 정도로 발언해 보라.

스페인 말라가 대학 심리학과 나탈리오 엑스트레메라(Natalio Extremera) 교수는 이렇게 말한다.

"자신의 감정 상태를 확실히 아는 것이야말로 인생을 현명하게 살아가는 최고의 비결이다."

자기 자신의 감정을 잘 알아두면 그에 따라 행동 전략을 얼마든지 유용하게 바꿀 수 있다. 덧붙여 '자신의 감정을 확실히 아는 것'은 감정적 지능(EQ)의 중요한 요소가 되기도 한다. 끊임없이 자신의 컨디션에 신경을 쓰도록 하자.

사람의 기분은 아무리 성숙한 인격의 소유자라도 기복이 심하게 마련이기에 순간적인 변화의 흐름을 알아두지 않는다면 생각지도 못한 실패를 일으키고 만다.

'오늘은 ○○ 씨에게 웃긴 이야기를 해줘야지'라고 생각을 했다가도, 자신의 컨디션이 어딘지 나쁘다고 느껴지면, 그 이야기는 다음으로 미뤄두고 상태가 좋을 때 꺼내는 편이 바람직하다.

자신의 감정이 어떤 상태에 있고, 어떤 환경에서 어떻게 변화되는지를 알고 있으면 그에 적응하녀 발하고 행동하고 판단할 수 있기 때문에 실패할 확률이 적다.

'비유의 신'이 되는 트레이닝이란?

말을 잘하는 사람은 "예를 들면……"과 같은 표현을 자주 사용한다. 대화 주제와 연관이 있는 비유를 적절히 곁들여 말을 해서 이야기가 상대방의 귀에 쏙쏙 들어오게 한다.

싱가포르 국립대학 스위 훈 앵(Swee Hoon Ang) 교수의 심리학 연구팀은 비유가 들어 있는 광고와 그렇지 않은 직설적인 광고를 만들어 각각의 광고가 주는 소비자 만족도를 비교해보았다. 결과는 비유적 표현이 들어간 광고가 압도적으로 높은 효과를 얻었다.

게다가 앵 교수에 의하면, 비유를 사용했을 때

- 내용에 세뇌당하는 느낌
- 감정의 흔들림

위와 같은 추가적인 효과도 있었다.

실험에선 하나의 예로 항공회사 광고를 들었다. A항공사의 광고는 거대한 여객기 안에서 멋지게 생긴 남녀 승무원들이 승객을 친절하게 모시는 내용이었고, B항공사의 광고는 엉뚱하게도 조용한 저택의 거실 안에서 편히 쉬고 있는 가족의 모습을 담았다.

결과는 어땠을까? 승무원이 승객에게 친절하게 서비스하는 모습은 항공사라면 당연한 풍경이라 차별성이 없다. 반면에 조용한 저택의 거실에서 편히 쉬는 비유는 그만큼 장시간의 비행기 여행을 내 집처럼 불편 없이 모시겠다는 표현이라 소비자의 마음을 잡을 수 있었다.

적절한 비유법은 말하는 사람의 이야기를 이해하기 쉽게 전달하는 역할을 한다.

철학서나 사상서는 문장 전체가 매우 난해하게 되어 있어 전문가가 아니면 이해하기가 무척 어렵다. 나는 대학시절에 사상서들을 많이 읽은 편인데, 그때마다 독서의 고통을 느껴야 했다. 물론 그때의 독서 체험이 작가로 활동하는 오늘의 나를 떠받치는 바탕이 된 것은 분명하지만, 인내심을 발휘해야 하는 시간이 힘들었던 것만은 사실이다.

사상서 중에는 마키아벨리의 《군주론》 정도만 비교적 쉽게 이해할 수 있었는데, 이유는 이 책이 '군주는 여우같이 교활해야 한다'는 표현이 말해주듯이 비유를 다채롭게 사용하고 있어서 이해하기가 쉽기 때문이다.

나도 책을 집필할 때는 '예를 들면', '~와 같은'이라는 비유를 자주 사용해 마키아벨리의 스타일을 흉내 낸다. 이것은 독자의 이해를 돕는 데 매우 도움이 되는 것 같다.

참고로 직유, 은유, 의인법 등 여러 비유의 방식 중에서도 대화에 가장 유용한 비유는 '은유'를 사용하는 것이다.

어렵게 생각할 필요 없다. "그것은 마치 ○○ 같다"라는 표현에서 "마치"와 "같다"를 떼어내고 "그것은 ○○다"**라고 딱 잘라 말해버리면 된다.**

예를 들어 학력사회를 논의의 주제로 다룰 때,

"부모가 부자면 아이의 교육에 돈을 많이 쓴다. 그러면 그 아이는 고학력자가 된다. 고학력자가 되면 좋은 일을 구할 수 있어서 그 아이도 부자가 된다. 이렇게 학력사회도 세습되어간다."

라고 구구절절 길게 설명을 하기보다는,

"학력은 현대의 신분제다."

"학력사회는 귀족사회다."

라고 딱 잘라 말하는 편이, 훨씬 강한 임팩트를 줄 수 있고 설명도 간단해진다.

이러한 비유의 표현력을 기르기 위해서는 '과장되게 생각'하면 좋다.

어떤 선배가 점점 출세해가는 모습을 표현하고 싶을 때는,

"저 사람의 출세 스피드는 F1급이야."

"마치 빛의 속도 같네."

라고 말해보면 좋다. 과장되게 생각하면 할수록 비유 표현이 더 재미있어진다.

정치가 중에서 "당신은 의혹만 파는 백화점이야"와 같은 표현을 쓰며 야유를 잘하는 사람이 있다면 그런 비유라도 끊임없이 참고하도록 하자. 정치가가 사용한 '백화점'이라는 비유를 기억해두고 "○○ 씨는 만날 때마다 에피소드가 너무 많아서 마치 이야깃거리의 명품백화점 같아요"라고 칭찬에 응용해보는 것이다.

또는 사고 트레이닝으로서, **적당한 단어를 하나 정한 뒤 그 단어를 사용한 비유 표현을 만드는 훈련**을 하는 것도 도움이 된다.

만약 '달력'이라는 단어라면, "저 사람은 달력이다. 앞으로만 나아가거든"이라고 말해볼 수 있다. '택시'라는 단어라면, "사랑은 택시다. 부른다고 오지 않으며 누구와 만나게 될지 알 수 없다"라고 말해볼 수 있다.

이처럼 아무 단어나 정해서 시간이 날 때마다 표현 연습을 하면, 언제고 비유의 사용이 자연스러워져 말을 재미있게 하는 비유의 달인이 될 수 있을 것이다.

비유를 사용하면 이해가 쏙쏙 되고 기억에도 잘 남는다. 더 강렬한 임팩트를 남기려면 비유 중에서도 은유를 사용하면 좋다.

자세 하나로 분위기가 달라진다

누군가에게 말을 할 때는 자세가 아주 중요하다. 가령 비스듬히 소파에 기대어 말하면 아무리 고상한 이야기라도 건방지게 들리고, 반대로 자세를 바르게 하고 엄숙한 표정으로 말하면 아무리 내용이 저급해도 나름으로 설득력 있게 들린다.

예전에 초등학교 교사 중에는 유난히 예의범절을 강조하면서 질문할 때나 심부름을 할 때 단정한 태도를 강조하는 분이 있었다. 세월이 한참 지나고 나면, 왠지 그런 선생님이 더 많이 기억되는 이유는 바로 그것이 기본 중의 기본이기 때문이다.

나의 어머니도 그런 분이었다. 어린 시절 나를 혼낼 때 어머니는 먼저 바른 자세로 앉아 계시곤 했다. 그다음 내게도 바른 자세로 앉으라고 한 뒤 얼굴을 똑바로 주시하면서 말씀하시기 시작했다. 그래서 어머니가 나를 똑바로 쳐다보며 "거기 앉아라!" 하고 말하면 '아, 뭔가 진지한 말씀이구나' 하며 나 역시 마음을 다잡았다.

이렇듯 **말을 할 때는 무조건 입을 열기보다는 분위기부터 연출하는 자세가 중요**하다. 아무리 중요한 이야기라도 몸을 흐느적거리며 늘어놓는다면 결코 사람의 마음을 움직일 수 없다.

대학교 때 교수들 중에는 강의할 때 삐딱하게 몸을 기울인 채 말하는 습관이 있는 사람이 몇 명 있었는데, 진지함이라곤 찾아볼 수 없고 왠지 생각나는 대로 적당히 둘러댄다는 인상이 강했다.

반면에 학생들에게 인기가 있고 강의도 특별했던 교수는 말할 때의 자세가 아름답다고 할 정도로 등을 똑바로 쭉 펴고 학생들을 정확히 응시하면서 말했다. 요컨대 학생들의 시선을 피하지 않고 정면으로 받아치면서 강의하는 교수 중에 명강의를 하는 사람이 많았다는 것이다.

무술이나 춤을 배울 때 무엇보다 기본자세를 엄격하게 지도하는 것은 자세가 그만큼 중요하기 때문이지 다른 이유는 없다. 대화도 마찬가지여서 단정하지 못한 자세로 말을 하면 야무짐이 없어 보이고 진지하지 않은 말로 들리게 된다.

또 하나, **자세가 나쁘면 발성에도 영향을 준다.** 시험 삼아 좋지 않은 자세를 취하고서 말을 해보기 바란다. 대부분 밝고

어느 쪽이 진지하게 들리는가?

분명한 소리는 나오지 않을 것이다.

이런 판국에 중요한 문제를 협상하거나 미팅을 하면서 등을 똑바로 펴고 분명하고 간결한 말투로 전달하지 않고 삐딱한 자세로 우물거리듯 말한다면 그 미팅의 결과는 보지 않아도 알 수 있다.

직장에서 부하 직원에게 지시를 할 때는 군대라고 생각하고 등과 가슴을 당당하게 편 채로 말을 시작하면 효과가 그만큼 높아진다. 그렇게 엄숙한 분위기를 만들고 나면 부하 직원은 업무상 중요한 일이구나 하며 똑바로 귀를 기울여준다.

자세를 올바르게 하면 자신의 심리상태에도 좋은 영향을 끼친다는 사실을 실험 결과로 말해주는 사례가 있다. 미국 오하이오 주 클리블랜드에 있는 케이스 웨스턴 리저브 대학 심리학과의 마크 무라벤(Mark Muraven) 교수는 학생들에게 자세를 바르게 하고 등을 쭉 편 채 똑바로 걷게 하는 실험을 2주간에 걸쳐 실시해보았다.

그 결과, 실험에 참여한 학생들은 하나같이 성격이 밝아지고 자신감이 강해졌음을 알 수 있었다. **자세를 바르게 하면 심리적으로 안정적이 되어** 성격에도 긍정적인 영향을 끼친다는 이 실험 결과는 대화 테크닉에 의미심장한 메시지를 전해준다.

대화의 장에서는 유창한 말솜씨가 아니라도 분위기 연출을 통해 얼마든지 설득의 자리를 만들 수 있다. 그런 의미에서 말투뿐만 아니라 평소에 말을 전달하는 자세에 대해 연습하는 습관을 길러보자.

말하는 사람이 자세를 바르게 하면 말의 설득력이 높아지고 심리적으로도 자신감이 생긴다.

상대방을 '주인공'으로 만들어주는 전략

연극 공연 중에서는 한 명의 연기자가 춤을 추거나 대사를 읊고, 주변에 얼굴과 전신을 검은 옷으로 가린 연기자들이 도움을 주는 식의 연출이 있다. 이들은 그 연기자가 연기를 할 때는 어떠한 미동도 하지 않으면서 자신의 존재가 드러나지 않도록 한다.

이것은 중요문화재 보유자처럼 엄청난 인물의 공연이라도 마찬가지다. 그는 자신의 제자가 연기를 할 때 전혀 미동을 하지 않는다. 그렇게 함으로써 지금 이 순간 주연인 연기자를 돋보이게 해주는 것이다.

대화도 이와 같은 마음가짐이 필요하다.

상대방이 말을 하고 있을 때, 불쑥 질문을 하거나 말을 툭툭 끊어버리면 상대방은 '뭐지, 말하고 있는데……'라는 생각이 들 수밖에 없다.

확실히 그렇게 상대방의 이야기를 막 끊어버려서 대화의 주도권을 잡는 것도 대화법에서 아주 없는 방법은 아니지만,

상대방을 '주인공'으로 만들어 기분 좋게 해주는 것도 나쁜 전략은 아니다.

진정한 커뮤니케이션은 서로가 서로를 배려하면서 만들어내는 작품과 같다. '이 상황에서는 저 사람이 말을 하게 놔두자', '이 상황에서는 저 사람이 자신의 얘기로 즐거워하게 만들어주자'라는 배려심으로 상대방의 말을 전부 받아들여주는 도량을 발휘하면 좋다.

이때 잘 들어주는 사람이 되기 위한 비법은 단 한 가지. 쓸데없는 방해를 하지 않고 단지 조용히 고개를 끄덕여주는 것이다.

"그렇지요. 그런 일도 있죠."

"그거 정말 흥미롭네요."

때로는 맞장구를 쳐가면서 과장되게 수긍하되 쓸데없는 의견이나 감상은 말하지 않는다. 이것만으로도 말하는 사람은 여러분의 팬이 될 것이라고 보증한다.

미국 이스턴 켄터키 대학의 로즈마리 램시(Rosemary Ramsey) 교수는 자동차를 구입한 지 얼마 안 되는 소비자 500명에게 어떻게 지금의 차를 구입하게 되었는지를 물었다. 그에 대해 거의 대부분의 사람들이 입을 모아 말한 답은 이것이었다.

"세일즈맨이 내 말을 잘 들어주었기 때문에 구입했습니다."

자동차를 새로 구입하는 데는 누구나 궁금증이 많고 요구 사항도 많기 마련이다. 그런데 세일즈맨들은 자기가 팔려는 자동차에 대한 일방적인 홍보보다 고객의 말에 충분히 귀를 기울이고 난 다음에 자신의 자동차가 거기에 얼마나 부합하는지를 명료하게 설명했던 것이다.

이 책은 대화법의 테크닉을 소개하고 있지만, 만약 아무리 노력해도 말하는 게 서툴다면 차라리 듣는 것에 뛰어난 역할을 지향해보라고 권하고 싶다. 충실한 경청의 자세를 유지하는 것만으로도 상대의 마음을 빼앗을 수 있고, 백 마디 말을 늘어놓는 사람보다 훨씬 더 좋은 사람이라는 인식을 주기에, 누구도 절대 당신을 가볍게 여기지 않을 것이다.

상대가 말을 하는 동안에는 그저 들어주고 호응해주자. 상대방을 주인공으로 만들어주면서 나 자신도 같이 높이는 길이다.

Point

제 4 장

자신이 없을 때 '이것'을 어필하라

벌벌 떨며 얘기해도
호감을 사는 비밀

CASE 4 화장품회사 CEO 게이지 씨의 고민

25년째 화장품을 제조 판매하는 중소기업을 경영하고 있는
이와모토 게이지 씨는 시민단체 봉사모임 회장을 맡은 후로
고민에 휩싸였다. 회장이 된 후부터 사람들에게 인사말을 할
기회가 많아졌는데, 그때마다 무슨 말을 어떻게 꺼내야 할지
막막하기만 했기 때문이다.
사실은 스피치 문제 때문에 회장에 추대될 때 한사코 거절했지만,
회원들이 벌써 두 차례나 회장 취임을 거절했으니
이번만은 꼭 맡아줘야 한다며 등을 떠미는 바람에
어쩔 수 없이 이 자리에 오르게 되었다.

그는 스피치 능력 부족 탓에 회사에서도 100여 명의 임직원들을
상대로 연설은커녕 훈시 한 번 제대로 한 적이 없었다.
매년 열리는 창립기념일이나 연말연시의 시무식과 종무식 때도
그저 "수고했다", "잘해보자"는 한두 마디뿐 더 이상은
말문이 콱 막힐 뿐이었다.
남들에게는 과묵한 사람처럼 비칠 테지만 업력이 쌓이고
사회생활의 연륜이 깊어질수록 그의 고민은 나날이 깊어져만 갔다.
어떤 형식이든 스피치를 해야 할 때도 많아졌기 때문이다.
처음엔 자신의 부족한 말솜씨를 의식해서 가급적이면
회사 밖 모임을 피했지만, 사회생활이란 게 자기 뜻대로 되는 게

아니기에 도저히 피할 수 없는 자리만 택해 활동하게 되었다.
문제는 그렇게 조심하고 회피를 해도 스피치를 할 기회가 기어이,
그것도 불시에 찾아온다는 것이다.
몇 년 전에 어느 모임에 나갔다가 불시에 사회자로부터 발언을
지명을 받고는 너무 허둥댄 나머지 덜덜 떨리는 손을 어쩌지 못하고
연설대 위에 놓인 마이크를 넘어뜨린 적도 있었다.

그 뒤로 사람들 앞에 서면 머리가 하얗게 비워지는 느낌이었다.
실수하면 안 된다, 망신을 당하면 안 된다는 압박감이
그를 더욱 위축시켰다.
심리적으로 이 지경에 이르게 되니 심할 경우엔 말까지
더듬게 되고, 횡설수설하는 게 스스로도 느껴질 정도였다.
누군가는 원고를 미리 써놓고 읽으면 되지 않느냐고 하지만,
그것만으로 되지 않는 게 마음자세였다. 방법은 무엇일까?

자신이 없으면 이 말을 먼저 하라

발언 내용에 명확한 오류가 들어 있으면 전체 발언의 신빙성을 의심받게 된다.

예를 들어 국제노동기구의 약칭으로 올바른 표기는 ILO인데 "IRO"라고 잘못 말하거나, 강연 등에서 애플사의 창업자 스티브 잡스(Steve Jobs)를 예로 들며 "스티븐 잡스"라고 계속 발음하는 것은 분명한 잘못이다.

그 외에 숫자 통계를 틀리는 경우나 간단한 계산에서 잘못이 생길 때도 있다. 정작 당사자는 모른 채 명백한 오류를 거듭해서 말한다면 '혹시 이 사람, 똑똑하지 못한가?'라는 부정적인 인상을 줄 수 있으니 조심해야 한다.

워싱턴 대학 엘리자베스 로프투스(Elizabeth Loftus) 박사는 대화를 나누면서 **명백한 내용에서 틀리게 되면 그 밖의 내용에 대한 신뢰도 잃게 된다**는 실험 데이터를 발표했다.

예를 들어 소매치기 현장에서 도둑맞은 지갑의 색이 분명히 빨간색인데 이를 목격한 증인이 난데없이 "지갑의 색깔은 검은색이었다"고 증언한다면 전혀 신용할 수 없게 된다.

만약 발언을 하다가 내용에 자신이 없는 대목에 이르면 그것을 곧이곧대로 밀고 나가지 말고, 이렇게 전달하면 좋다.

"출처에 대한 기억이 희미해서 자신은 없습니다만……"

"인터넷에서 본 내용이라 명확하지 않은 점이 있을지 모르겠습니다만……"

"만약 틀리게 기억하고 있는 것이라면 죄송합니다만……"

이처럼 서두에서 오류 가능성을 분명히 밝혀두고 나서 발언을 하면 설령 잘못이 드러나더라도 크게 신빙성을 잃는 일은 생기지 않을 것이다.

태도도 문제다. 당당하게 발언을 계속하다가 내용에 명백한 오류가 있다는 사실을 지적받았다면 일단 겸손하게 고개를 숙이고 사과한 뒤에, 자세한 내용을 알아보겠노라고 말하면 된다.

반면에 분명히 틀린 발언을 하고 상대에게 지적을 받았는데도 부득부득 자기 말이 옳다고 고집한다면 독단적으로 보일 뿐더러 신뢰가 가지 않는 사람으로 취급받게 된다.

세상의 모든 것을 다 아는 백과사전 같은 사람은 없기에 누구나 반드시 실수를 저지를 때가 있다. 그러니 자기의 실수에 대해 변명이나 늘어놓는 것보다는 "아 그런가요? 죄송합니다!" 하고 상대의 지적에 실수를 인정하는 것이 올바른 자세다.

자신의 잘못을 순순히 인정하고 넘어가는 사람임을 보여주는 것이 가장 빠르게 실수를 만회하는 길임을 잊지 말자.

자신이 없을 때는 겸손하게 어필하는 것이 안전하다. 명확하게 틀린 발언을 하고 그것을 상대방에게 지적받고 나서야 수정한다면 신빙성에 의문을 불러일으키게 된다.

타인이 모르는 지식 1~2개가 큰 힘이 된다

대화를 나누면서 다른 사람을 압도하려면 머리가 좋아야 한다. 따라서 '저 사람은 능력자야!'라는 인정을 받기 위해서는 수시로 자신의 탁월함을 과시할 필요가 있다.

이렇게 말하면 독자 여러분 중에는 '나는 그렇지 못한데?' 하며 금방 열등감에 빠지는 사람도 있을지 모른다. 하지만 여기서 말하는 탁월함이란 지능지수가 아니고 대화의 요령과 교묘한 기술에 관한 것으로 학창시절의 성적하고는 아무 관계가 없으니 안심하기 바란다.

머리가 좋음을 어필하는 방법은 간단하다.

바로 상대방이 전혀 모르는 지식 몇 가지를 가지고 있으면 된다. 그것을 대화의 주제나 세상 돌아가는 이야기와 접목하는 테크닉만 발휘하면 끝이다.

"혹시 잡학지식이라도 괜찮은가요?"

라고 묻는 독자가 있을 것이다.

물론 괜찮다. 다만 상대방이 절대로 모를 것이라고 생각되는 내용이어야 한다.

타인에게 얕보이지 않기 위해서는

'어딘가에서 들은 적 있는 것 같은데?'

라고 생각되는 내용이 가장 좋지 않다. 여러분이 화제로 삼을 주제는 상대방이 잘 모르는 미지의 이야기여야 한다는 것, 그 점만 주의해준다면 어떤 테마라도 괜찮다.

예를 들어 요즘 젊은이들 사이의 유행에 관한 얘기가 나오면, 슬쩍 요즘 번지고 있는 성형 열풍에 관한 이야기로 방향을 바꿔 이렇게 말할 수 있다.

"미용을 목적으로 하는 성형수술이 성행하게 된 것은 제1차 세계대전이 계기라고 합니다. 전투에서 심하게 부상을 당한 병사들의 상처를 최대한 가려주기 위해 시작된 것이랍니다."

사람은 자기가 모르는 사실을 알고 있는 사람에게 자연스럽게 머리를 숙이게 되니 이 정도면 딱 좋다.

이런 식의 스피치는 조금만 연구하면 얼마든지 분야를 구할 수 있다. 탐험과 발견에 관한 역사 이야기, 곤충들의 세계에 관한 이야기, 오지 여행에 관한 이야기 등 무엇이라도 다 쓸모가 있으니 최대한 관심 분야를 넓혀보기 바란다.

영국의 철학자 프란시스 베이컨(Francis Bacon)은 '아는 것이 힘'이라고 했는데, 사람들이 별로 알지 못하는 지식을 가지고 있으면 그것만으로도 대화에서 주도권을 손에 넣게 된다.

"역사상 최초로 달력을 만든 사람은 로마의 군인이자 정치가인 줄리어스 시저입니다."

"와인이라면 흔히 프랑스산이 최고라고 알려져 있지만 가성비 최고 와인은 의외에도……."

이런 식으로 상대에게 낯선 지식을 대화의 흐름에 맞춰 끼워 넣으면 그는 흥미로운 이야기에 자연스럽게 귀를 기울이게 되고, 당신을 상식 능력자로 높이 평가하게 된다. 미국의 심리학자 로버트 프릭(Robert Frick)에 의하면 상대방이 모르는 잡학지식이야말로 상대방에게 흥미로운 이야기가 된다고 한다.

문제는, 설익은 지식을 함부로 남발했다가 상대를 잘못 만나 혼나는 경우다. 줄리어스 시저를 얘기했는데 상대가 때마침 세계사에 강한 사람이면 쉽게 바닥이 탄로가 나고, 와인 전문가 앞에서 가성비 최고 와인 운운했다가 아마추어 중의 아마추어라는 게 들통나면 곤란해진다.

아무리 잡학이라도 그 분야에 대한 지식의 세계에 몇 걸음 더 들어가는 성의를 보이자. 잘하면 그 방면의 진짜 전문가 수준이 될 수도 있고, 그러면 효과는 더욱 크니 일석이조다.

가치 있는 정보란, 아무도 모르는 정보를 가리키는 것이다. 관계의 우위에 서려면 상대방이 모르는 분야의 지식을 한두 개쯤 꼭 보유해두자.

모차르트와 베토벤보다는 이 사람

특별한 취미는 당신을 고급스런 이미지로 보이게 하는데, 특히 지적인 분야의 취미를 가지면 그것만으로도 타인을 주눅들게 만들 수 있다.

하지만 분야가 너무 광범위해서는 안 되고 **매우 좁은 특정영역에 한해** '강한 한 방'이 될 수 있는 것이 바람직하다. 이론이 분분하고 내용이 다양하기보다는 조금 협소한 분야, 이론이 분명히 확립된 것이 좋다는 뜻이다. 그래야 알아둘 상식의 폭이 좁아서 배우기도 쉽다.

예를 들어 클래식 음악을 취미로 정할 때 르네상스 시기부터 현재까지의 모든 음악에 통달할 필요는 없고 명곡이라고 불리는 음악도 전부 알 필요가 없다.

그보다는 어느 시대 어느 장르의 작곡가 한 사람에게만 관심을 쏟든가 한 사람의 연주가에게만 빠지면 좋다. 왜냐하면 많은 사람의 관심과 사랑을 받는 장르에서는 스페셜리스트로서의 '나'라는 개성을 발휘할 수 없기 때문이다.

'어, 이 사람은 다른 사람들과는 조금 다른데?'

상대가 이렇게 생각하도록 만드는 게 목적이기 때문에 분야를 최대한 좁히기 바란다.

예를 들어 작곡가를 고를 때 바흐나 모차르트, 베토벤 같은 유명한 음악가는 피하고, 대신 1800년대 후반부터 1900년대 초반까지 활동한 프랑스 작곡가 앙리 뒤파르크(Henri Duparc) 같은 **대중적이지 않은 인물**을 권하고 싶다.

이 사람은 죽기 전에 자신의 작품은 하나도 쓸모없다고 생각해서 몇 곡을 뺀 나머지 전부를 불태워버려 기껏해야 음반 하나 분량의 음악만 남아 있는 독특한 음악가다.

앙리 뒤파르크
(1848~1933)
프랑스의 천재적인 작곡가이며
프랑스 가곡을 독일 가곡의 수준으로
올려놓았다. CD는 16개의 가곡 전집.

대단하다!
조예가 깊구나.

볼프강 아마데우스 모차르트
(1756~1791)
오스트리아 출신의 역사상 가장 위대한
음악 신동. 600여 곡이 남아 있으며
CD는 셀 수 없음.

너무 유명해.

그 때문에 그의 음악은 듣기도 간편하고 CD를 사 모으는 번거로움이 없는 데다 널리 알려진 인물이 아니니 상대에게 '짧고 얕은' 음악 지식을 탄로 날 위험성도 그리 없다. 다른 예술 분야에도 이런 희귀한 인물은 많으니 최대한 정보를 구해보자.

또는 그럼에도 모차르트를 선택하고 싶은 사람이라면 모차르트의 정수는 클라리넷에 있다며 클라리넷 곡들만을 골라 깊게 공부하고 알아두는 것도 방법이다.

독서를 취미로 할 때도 마찬가지다. 원래 독서라는 취미 자체가 특별하지 않은데, 여기다 헤밍웨이나 셰익스피어 같은 작가를 고른다면 자신을 돋보이게 하지 않으려고 작정한 듯이 보인다. 더구나 위대한 작가들은 평생 동안 생산한 작품이 너무 많아서 언제 상식이 바닥날지 모른다는 위험성도 크다.

그런 점에서 몇 권의 책밖에 남기지 않은 작가, 희귀한 분야에서 뛰어난 족적을 남긴 작가라면 그가 남긴 작품을 독파하는 것도 쉽고, 그런 작가를 선택함으로써 예술적 안목과 지성을 동시에 어필할 수 있으니 일석이조가 된다.

다만 한 가지 주의해야 할 점이 있다. 자기만의 취미 이야기는 그것에 무관심한 사람에게는 고통스러울 정도로 재미없는 일이고 자칫 흥분하다 보면 짧고 옅은 지식이 들통나게 될 우려도 있다. 미시간 주립대학의 그웬 비텐바움(Gwen Wittenbaum)이라는 심리학자는 **자신밖에 모르는 취미 이야기는 사람들이 그다지 좋아하지 않는다**고 했는데, 따라서 어디까지나 '적당히 말하는 것'이 바람직하다고 하겠다.

자기 혼자만 뜨거워져서 아무리 열심히 설파해도 취미의 세계는 좀처럼 이해받기 어려운 부분이 있다는 사실을 잊지 말아야 한다.

작품이 희귀한 음악가나 작가, 특정 장르 등 매우 좁은 분야의 지적인 취미를 파고들자. 그것을 말하는 순간 주변 사람과 차별화되어 보인다.

왜 생물학자의 정치 이야기는 더 재미있을까?

대화 상대에게 '끝을 알 수 없는 사람'이라는 이미지를 주고 싶다면 특정 분야에서 누구에게도 지지 않을 만큼 깊이 있는 지식을 쌓지 않으면 안 된다. 그러기 위해 무조건 한 가지 특별한 분야를 파고들어 그 방면의 전문가들조차 혀를 내두를 정도로 지식을 쌓기 바란다.

특정 분야에 두드러진 지식을 갖고 있으면 다른 분야에 그다지 지식이 없어도 누구도 얕잡아보는 일은 없을 것이다. 이미 한 분야의 스페셜리스트로 인정을 받기 때문이다.

나는 국내외에서 발행되는 심리학 전문잡지들을 두루 탐독하고, 최근 발표되는 논문도 대부분 읽으려고 노력한다. 그렇게 하여 심리학에 관한 지식은 누구에게도 지지 않겠다는 각오로 정보 수집에 몰두한다. 그만큼 이 분야의 전문가가 되고 싶기 때문이다.

하지만 다른 분야 지식은 거의 모른다고 할 수 있다. 나는 신문을 읽지 않을 뿐더러 라디오도 듣지 않고 TV도 보지 않는다. 그래서 보통 사람들이 당연히 알고 있는 시사 정보나 연예, 스포츠, 경제 뉴스 같은 정보에 문외한에 가깝다.

그렇다고 내가 아무것도 모르는 바보냐 하면 꼭 그런 건 아니다. 이따금 슬쩍슬쩍 인터넷을 넘나들며 세상이 어떻게 돌아가는지 엿보곤 하는데 그만큼의 소소한 지식만으로도 살아가는 데 아무 불편이 없다.

어느 분야의 장인들 중에는 자신의 평생직업 외에는 아무것도 모른다고 말하는 사람들이 있다. 예를 들어,

"나는 도자기밖에 만들 줄 몰라서……",

"용접만 할 줄 알아서……"

라고 말하는데, 그렇더라도 아무도 그들을 얕보지 못한다. 그 방면에서 최고 기술을 가진 인물이기 때문이다.

따라서 이렇게 말할 수 있다.

"다양한 분야에 발을 들여놓아서 애매모호한 지식들을 폭넓게 갖기보다는 범위를 최대한 좁히는 편이 배우기도 편하고 전문가 대접을 받게 된다."

예술도 잘 알고, 정치경제도 잘 안다고 큰소리치는 것보다 자신이 좋아하는 분야에 한정하는 편이 공부할 의욕도 생길 것이다. 게다가 어느 특정한 분야에 전문지식을 쌓게

되면 그 지식을 이용해서 다른 분야까지 논할 수 있게 된다. 이것을 '지식의 전용(轉用, 다른 곳에 돌려씀)'이라고 한다.

가령 내가 심리학의 지식을 이용해서 심리학적 관점으로 비즈니스를 논할 수 있고, 정치 문화 현상도 말할 수 있다. 제삼자의 관점을 피력하면 오히려 신선하게 느껴져서 한층 더 능력자처럼 자신을 연출할 수 있게 된다. 정치에 대한 이야기를 할 때 정치학자의 말보다 생물학자나 물리학자가 말하면 훨씬 더 흥미진진한 이유는 바로 이 때문이다.

그들은 전문 영역의 지식을 바탕으로 세상사를 해석하고 나름의 정의를 내리기 때문에 한층 듣는 이의 관심을 끈다. '아, 그럴 수도 있겠다!'는 깨달음과 함께 전혀 다른 관점에서 사물을 바라보게 하기 때문이다.

넓고 얕은 지식보다는, 범위는 좁지만 깊이가 있는 지식을 추구하는 것이 사람들에게 더 크고 오래 가는 울림을 남기는 대화 테크닉이라는 사실을 잊지 말자.

한 분야에 '강한 한 방'이라고 할 수 있는 지식이 있으면, 다른 분야에 관해서 전혀 무지하더라도 주위로부터 만만한 평가를 받는 일은 없다.

COLUMN 4

진지한 사람의 '한마디 농담'이 주는 임팩트

가벼운 농담이나 유머는 사람의 마음을 열게 하는 마법을 일으킨다. 농담을 잘해서 사람들을 곧잘 웃게 만드는 사람은 다른 사람과 쓸데없는 언쟁을 벌이는 일이 드물다. 그만큼 유머는 인간관계의 충돌이나 갈등을 물리치는 윤활유 효과가 있다고 할 수 있다.

물론 문장에 고급 전문용어나 난해한 비유를 곁들이며 늘어놓으면 똑똑한 사람이라고 어필할 수는 있겠지만, 입만 열면 늘 무겁고 딱딱한 논리로 이야기를 전개한다면 뭔가 뚫고 들어갈 수 없는 벽 같은 게 느껴져서 주위 사람들과 친해지기 어렵게 된다.

자신이 능력 있는 사람이라는 걸 어필하고 싶다면, 분명한 말투로 표현을 하면서도 간간이 유머 한마디를 곁들여서 똑똑하고 단호하지만 유머러스한 사람이라는 사실을 드러나게 하자.

회사의 기획회의에서 당당히 의견을 발표하거나 고객이 이견을 달지 못하게 하는 프레젠테이션을 진행한다면 분명 능력자라는 인상을 줄 수 있을 테지만, 그것만으로는 충분하지 않다.

평소에 딱딱한 이미지를 풍기는 사람일수록 재미없는 농담이라도 불쑥 한마디 던지면, 사람들은 보기와는 딴판이라며 웃어준다. 언제나 재미있는 말만 하는 개그맨들이 가끔 TV에 나와 진지한 이야기를 하면 시청자들은 "오, 꽤 괜찮은 사람이었네"라는 인상을 받는다. 대비가 생겼기 때문에, 그 사람의 대단하지 않은 의견도 무언가 진중하게 들리는 것이다.

여러분은 이 반대로 하면 좋다. **평소엔 진지하다가도 대비되게 가끔 실없는 농담을 해주면** '비교적 편한 사람'이라고 호평받게 된다.

미국 퍼듀 대학 웨인 데커(Wayne Decker) 교수는 직장에서 서로 농담을 주고받는 사람들끼리의 인간관계가 어떤지를 설문조사로 알아보았다.

그 결과, 한쪽에서 농담을 하면 상대도 마음이 편해져서 같이 농담을 나눌 수 있는 관계로 발전하고 상호관계도 원활히 돌아가서 한 단계 높은 융화를 이루게 된다는 사실을 알게 되었다. 한마디 농담이 마음을 여는 열쇠 역할을 톡톡히 한다는 뜻이다.

직장에서건 인간관계에서건 좋은 분위기를 만들기 위해서 유머는 빼놓을 수 없는 조건이다. 어떤 모임이든 유머 센스로 무장한 사람이 인기가 높은 이유는 그를 통해 소통하고 교감하는 기회를 만들 수 있기 때문이다.

사람들을 즐겁게 만들 우스갯소리를 몇 가지 준비해두라고 권하고 싶다. 인터넷 사이트를 뒤지면 쉽게 개그 소재를 구할 수 있으니 자기에게 맞는 이야깃거리들을 꼭 지녀두길 바란다.

라벨 효과를 이용해 나를 치켜세우는 법

사람들이 나에게 붙여주는 라벨은 매우 중요하다. 베테랑, 노력가, 전문가 등등 내가 만족할 만한 라벨이 붙게 되면 이제 그 분야에서 한몫을 하는 사람이 된 것이라고 할 수 있다.

나는 강연과 집필이 본업이라 사람들을 만났을 때 **상대방이 나의 호칭에 대해 망설이면 대뜸 "선생님"이라고 불러달라고 요청한다.** 그러면 대부분 별 저항 없이 나를 선생님이라고 불러 준다.

당신도 전문분야에 종사하고 웬만큼 경력이 있다면 "선생님"이라고 불러달라고 요청해보라. 선생님이라고 불릴 만한 지식이 없더라도 신경 쓰지 않아도 된다. 단지 선생으로 불리는 것에 의미가 있으니 말이다.

선생이라 불리며 대화를 나누다 보면 정말 선생이 된 듯한 기분이 되어 말 한마디라도 조심하게 된다. 이렇듯 "나는 ~ 사람이다"라고 특정을 지으면 그 라벨에 맞게 행동하게 되는데, 이를 심리학에서는 '라벨 효과(Label Effect)'라 부른다.

가령 평범한 초등학생에게 **"너는 계산 능력자다"**라고 라벨을 붙여준 뒤에 계속 그렇게 불러주자 학기 말 시험에서 수학 성적이 전보다 훨씬 좋아졌다는 이야기도 있다.

"선생님"이라 불리면 왠지 나를 치켜세워 주는 듯한 느낌이 들어 기분이 좋아진다. 이와 함께 선생님으로 불리는 상황에 어울리는 사람이 되자는 열의도 생기게 된다. 바로 그런 열의가 자기 자신을 바꿔나가는 바탕이 된다.

작가들은 출판사 편집자로부터 선생님이라고 불리는 게 일반적이다. 나도 처음 작가가 되고 그렇게 불리게 되었을 때 **'열심히 해야겠다'**는 기분이 강해졌고 그에 따른 책임감 또한 높아졌다. 당신도 마음에 드는 라벨과 함께 한 걸음 더 성장하는 계기를 만들어보기 바란다.

'자리가 사람을 만든다'는 말처럼 부장님, 교수님이라고 불리게 되면 정말 그 말과 같은 사람이 되어간다. 그러므로 주위에 부탁해서라도 좋은 라벨과 함께 자신의 이름을 부르도록 해보자.

"유행을 모른다"고 하는 사람이 영리해 보이는 이유

일반적으로 사회생활을 활발하게 하는 사람들은 베스트셀러를 재빨리 찾아 읽거나 유행하는 TV드라마의 내용을 꿰뚫고 있거나 노래방에서 아이돌 가수의 노래를 부르거나 하면서 자신이 유행에 민감한 사람이라는 걸 어필한다.

유행에 빨리 적응해서 말하고 행동하는 게 유리하다고 판단하기에 생기는 현상이지만, 가끔은 이 유형과는 다르게 전혀 유행에 관심을 두지 않는 사람들도 보인다.

나는 기본적으로 유행에 큰 관심을 두지 않는 사람들에게 박수를 보내고 싶다. 왜 유행에 너무 쉽게 따라가면 안 되는 것일까? 20대 초반의 젊은이라면 모를까, 나이가 좀 든 사람이 지나치게 최신 유행에 반응하면 어딘가 경박스러운 인상을 준다. 유행에 민감한 것을 비난하는 게 아니다. 나이에 걸맞게 조금은 신중하고 점잖은 이미지를 풍기는 편이 좋다는 것이다.

미국 오리건 대학 그레고리 로즈(Gregory Rose) 교수가 600여 명의 사람들을 대상으로 조사한 결과, **유행에 쉽게 물드는 사람들일수록 남의 말을 곧이곧대로 추종하는 경향이 크다**는 사실이 밝혀졌다.

유행에 너무 빨리 편승하는 사람을 상대하다 보면 어쩐지 자기만의 주관이 부족하다는 인상을 받곤 한다. TV에서 개그맨들이 내뱉는 유행어나 20대 초반의 가수들이 부르는 노래가 유행의 물결을 타는 것도 나름대로 의미 있는 사회 현상이기는 하지만, 유행이란 원래 시간이 지나면 '내가 왜 그렇게 시시한 일에 열광했지?' 하는 것들이 대부분이다.

다마고치 같은 장난감이든, 줄 서서 사 먹은 과자든, 헤어스타일이든 붐이 지나가버리면 아무도 뒤돌아보지 않으며, 괜히 한때의 유행에 휩쓸렸다는 부끄러움이 느껴질 때도 있다.

나는 강의 때마다 조금은 오래된 것, 전통적인 것, 역사가 있는 것에 흥미를 느껴보라고 충고하곤 한다. 그런 것들은 **아무리 세상이 변해도 절대 바뀌지 않는 보물들**로 책으로 말하면 고전, 음악으로 말하면 클래식, 패션으로 말하면 전통의상일 것이다.

언젠가 들은 이야기인데, 어느 대기업의 부장은 청년시절부터 일본 전통문양이 새겨진 기와에 관심을 갖고 공부해온 결과 지금은 전문가 이상의 지식을 쌓았다고 한다. 전국의 유명 사찰이나 전통 가옥을 돌아다니며 수집한 기와만 벌써 수천 장에 이르러서 장래 어느 날엔 '기와 박물관'을 짓고 싶다고 말할 만큼 그 분야에 독보적인 인물이 되었다는 것이다.

이런 식으로 역사적 가치가 있는 분야에 대한 지식이 풍부해서 만날 때마다 새로운 이야기를 들려주는 사람이라면, 그런 이들을 상대로 협상이나 거래를 하게 될 때 자연스럽게 믿음이 가게 된다. 그만큼 자기만의 세계가 확고하다는 신뢰감이 앞서기 때문에 그의 모든 것이 믿음의 눈으로 보이게 되는 것이다. 당신만의 관심 분야를 공부해서 대화에 적절하게 활용해보기 바란다.

속 깊고 진중한 이미지를 어필하고 싶다면, 본인은 유행에 관심이 없으며 고전과 클래식 등 세상이 바뀌어도 바뀌지 않는 것들에 조예가 있음을 보여주는 것이 좋다.

때론 순서가 모든 것을 결정한다

회의에서 훌륭하게 발언하는 사람이 있으면, 그 다음 순서가 되지 않도록 잠시 입을 다물고 있어야 한다. 멋진 발언을 한 사람의 바로 다음 순서에 말을 하게 되면 존재감이 희미해지기 때문이다.

사물의 평가는 전체 안의 '순서'로 영향을 받는다.

노래방에서 멋지게 노래 부르는 사람 뒤에 노래를 불렀는데, 그리 못하지 않았음에도 앞 사람과 비교되는 바람에 엄청난 음치처럼 들리기도 한다. 반대로 엄청난 음치 다음에 노래를 부르면 가수처럼 들린다.

발언을 할 때에도 마찬가지로 순서에 주의해야 한다. 제일 좋기로는, 논의 주제에서 벗어나 두서없이 횡설수설하는 사람 뒤가 제일이다. 그러면 평범한 발언이라도 달리 들리게 되는 것이다.

이 같은 심리 현상은 세상 곳곳에서 흔하게 나타난다. TV나 잡지에서 미남미녀를 본 다음에 평범한 사람을 보면 사실은 보통 수준인데도 무척 못생겨 보이기도 한다. 이를 심리학에서는 '**파라 효과**(Farrah effect)'라고 부른다. 파라 포셋(Farrah Fawcett)이라는 모델 겸 배우(원조 미녀 삼총사의 한 명)를 빗대어 이런 이름이 붙여졌다. 대비로 인해 내가 상대적으로 가려지는 비슷한 현상이 발언을 할 때도 일어나니 주의가 필요하다.

어떻게 하면 이런 일이 생기는 걸 막을 수 있을까?

제일 좋은 방법은 **무슨 일이든 '제일 먼저' 하는 버릇을 들이는 것**이다. 발언을 할 때도, 노래를 부를 때도, 장기자랑을 할 때도, 무엇이든 제일 먼저 해버리면 비교 대상이 될 만한 인물이 없기 때문에 타인과 비교되는 비극은 발생하지 않는다.

가장 먼저 발언하는 게 쑥스럽고 부끄럽다고 머리를 흔들다가 말을 잘하는 사람 뒤에 발언 요청을 받게 되면 도망칠 곳이 없으니 꼭 염두에 두기 바란다.

무엇이든 선수를 치는 게 유리하다. 아무리 스스로가 좋은 말을 했다고 생각되어도, 그 전에 더 좋은 발언을 한 사람이 있다면 당신의 의견은 희미해져 그저 안타까워질 뿐이다.

첫째도 직함,
둘째도 직함이다

에도시대 8대 쇼군의 자리에 올랐던 일본의 도쿠가와 요시무네(德川吉宗)는 이런 말을 했다고 한다.

"사람들 위에 서게 되면 어리석은 자도 지혜로워 보일 것이고, 아래에 서게 되면 지혜로운 자도 어리석게 보일 것이다."

지위가 높은 사람은 왠지 머리가 좋아 보이지만 낮은 사람은 아무리 머리가 뛰어나도 어딘가 어수룩해 보인다는 뜻이다. 승진을 해서 지위가 오른 사람은 그전과 비교해서 기본적으로는 아무것도 바뀌지 않았는데도 갑자기 다른 사람으로 비친다.

하와이 대학 블레이크 헨드릭슨(Blake Hendrickson) 교수는 지위가 다르다는 차이만으로도 상대에게 주는 인상이 확 바뀐다는 사실을 실험으로 확인했다. 그가 내린 결론은 이것이었다.

"동일 인물이라 해도 직함이 바뀌면 평가와 대우가 달라진다."

타인에게 가볍게 취급당하고 싶지 않다면 어쨌든 특별한 인상을 심어주는 직함을 손에 넣기 바란다. 아직 그럴 만한 나이가 아니라고 포기하면 안 된다. 등산이나 바둑 같은 취미활동 모임의 회장, 회사에서 소규모 봉사활동의 총무라도 좋으니 꼭 개인적인 명예 타이틀을 손에 넣기 바란다.

일본 총리를 지낸 다나카 가쿠에이(田中角栄) 씨는 그러한 인간 심리를 누구보다 잘 알고 있었다. 그는 선거 때 자기를 지지해준 사람들 모두에게 사무국장, 간사장, 상임간사, 특별간사, 총무회장, 상임고문, 상임감사, 여성부장, 재정부장 등 온갖 명예로운 이름을 붙인 직함을 주었다.

초등학교에서도 예전에는 학급에서 1등을 해야 상장을 받을 수 있었지만 요즘엔 리더상, 청소상, 진실상, 친절상 등 아이들 전체에게 다양한 이름의 상장을 준다. 교사들의 말에 따르면, 아이들이 이렇게 나름의 칭찬을 담은 상장을 받으면 학습 태도가 달라진다고 한다.

회사에서 아직 경력이 짧아 직함이 낮다면 **적당한 직위를 만들어 명함에 넣으면 어떨지** 상사에게 의논해봐도 좋다.

"고객과의 거래에서 아무래도 무게감을 느끼게 할 직함이 필요합니다!"

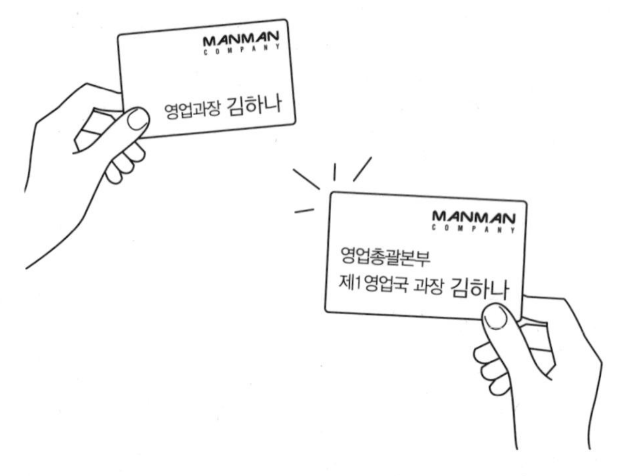

만만해 보이지 않는다

이렇게 호소하면 회사에 누를 끼치지 않는 범위 안에서 허용해줄 것이다. 만약 그런 식의 직함을 만드는 걸 허용받게 되면 **가급적 장황한 명칭**을 붙이는 것도 좋은 방법이다. 단순히 '영업과장'이 아니라 **'영업총괄본부 제1영업국 과장'** 같은 명칭을 붙이면 한층 대단한 이미지를 만들어낼 수 있다.

무조건 지위나 직함이 사람을 만든다. '과장보좌' 같이 무엇을 하는지조차 잘 모를 만한 지위의 이름이라도 없는 것보다 훨씬 낫다.

제 5 장

모든 관계는 '말의 게임' 이다

어떤 사람도 내 편으로 만드는
금단의 심리술

CASE 5

사랑이라는 지는 게임

오시이 하루는 한숨을 푹 내쉬며 핸들 위에 엎드린 채 한참을 있었다.
'그녀에게 결국 화를 내고 말았어…….'

하루의 연애 스타일은 이른바 모든 것을 퍼주는 식이었다.
자신의 마음을 흔드는 사람을 만나기는 쉽지 않았지만 드물게
그런 사람을 만나면, 좋아하는 마음만큼 전부 표현하려고 했다.
뭘 해도 그 사람에게 맞춰서 다 해주고, 그 사람이 원하는 대로
해주는 게 행복했다.
연인인 미우는 표현이 능숙한 편은 아니어도 기본적으로
좋은 사람이었다. 하지만 최근 몇 년 사이, 광고회사로 이직 후
잦은 야근과 극도의 스트레스에 예민해져 있는 날이 많았다.
성격적으로도 일과 사생활이 잘 구분되지 않는 편이라, 그날 일이나
상사 문제로 나쁜 기분을 그대로 끌고 와 하루에게 사소한 일로
화를 내곤 했다. 하루는 안쓰러워 그녀의 불만을 대부분 품어주었지만
어느 날은 상처가 되기도 했다.

오늘도 퇴근 후 식당에서 미우의 크고 작은 투정을 들어주던 하루는
문득 이렇게 얘기했다.
"그렇게 불만이 많았으면 동료한테 그 자리에서 얘기하지 그랬어."
미우의 표정이 바로 일그러졌다.

"넌 내가 이렇게 힘들다는데…… 내 얘기로 네 기분 망치지
말라는 거야?"
"아니, 그게 아니라……"

평소 같았으면 다독이며 "미안해. 그런 의도가 아니었어"라고
져주고 말 일을, 이번은 왠지 그러고 싶지가 않았다. 말다툼을
이어가다 언성이 높아지기에 이르자 하루는 오랫동안 자신을
붙들던 어떤 스위치가 꺼져버린 것 같았다.
"내가 만만해? 그래서 늘 회사 사람한테는 암말도 못하면서
나한테는 함부로 대하는 거니?"

미우는 결국 잔뜩 상처받은 얼굴을 하고 그대로
등을 돌려 나가버렸다.
하루는 주차해둔 차에 올라 타 혼자 집을 향해야 했다.

지금까지 그 사람을 잃을까 봐 다 받아주고 맞춰준 건데,
참지 못해 한순간에 관계가 최악이 되어버렸다. 아니, 어쩌면
서서히 나빠지고 있었는지도 모른다. 사랑은 다 주는 것이라
생각하여 그렇게 노력했건만 둘 다 상처를 입고 말았다.
우리, 어디서부터 잘못된 것일까…….

상대방의 생각을 내게 유리하게 리드하기

말을 잘하는 사람은 질문할 때나 의견을 내놓을 때 자신의 생각대로 대화의 방향을 이끌어갈 수 있다. 이런 식으로 자신에게 유리한 반응을 유도하는 기술을 심리학에서는 '리딩(Leading)'이라고 부른다. 리딩이란 말 그대로 상대를 이끌어간다는 뜻으로, 회의를 진행할 때 이렇게 말하는 방법도 리딩의 하나다.

"현명하신 여러분은 아마 이 의견에 찬성해주리라고 믿습니다만……"

"아마 반대하시는 분들은 적으리라고 생각됩니다만……"

"여러분께서 이 의견에 찬성해주시면 오늘 더 구체적인 방법을 논의하고 싶습니다만……"

이와 같은 말로 시작함으로써 처음부터 찬성하지 않을 수 없도록 분위기를 만들어내는 방법이다. 이런 식으로 찬성하는 것을 전제로 말을 시작하는 테크닉은 데이트를 신청할 때도 적용할 수 있다.

"저와 데이트해주시지 않겠어요?"

이런 말은 인기라곤 하나 없는 남자들이나 쓰는 방법으로, 이런 식으로 말하면 어떤 여성도 당연히 머리를 흔들 것이다. 대신 이렇게 말하면 어떨까?

"식사하러 가실 거면, 와인이 맛있는 집을 아는데 어떠세요?"

미국 켄터키 주립대학의 마리아 자라고자(Maria Zaragoza) 교수는 대화를 하면서 조금은 강제적으로 비치더라도 리딩 기법을 실천하면 대부분의 사람은 끌려오기 마련이라면서 이렇게 설명한다.

"리딩 기술을 잘 활용하면 대화를 나누면서 어떤 대답이 돌아올까 하는 궁금증이나 초조감이 없어지기 때문에 더욱 당당하게 말할 수 있게 된다."

다시 말하면 자신의 생각대로 상대방이 움직이기 때문에 **긴장할 필요가 없어진다**는 것이다.

'내 말에 반대하면 어쩌지?', '거절하면 어쩌지?' 하고 불안해하면 아무래도 자신감이 떨어지게 마련인데 리딩 기술을 사용해서 강하게 상대방을 이끌게 되면 한층 의연해질 수 있다.

신입사원에게 기계의 조작방법을 설명할 때처럼 어려운 것을 알려줄 때도,

"조작은 매우 간단하니까 바로 이해할 수 있을 거예요. 자, 처음에는 말이에요……"라고 서두를 꺼내면 상대방은 바로 이해해줄 것이다. 조작이 간단하다고 전제한 리딩을 서두에 사용함으로써 상대방의 긴장을 풀어줄 수 있기 때문이다.

리딩은 매우 편리한 테크닉이기에, 꼭 기억해두고 써보길 바란다.

대화의 첫머리에 리딩을 사용함으로써 상대방이 쉽게 내 말을 이해하고 동조하도록 만들 수 있다.

작은 일에 신경질을 내면 하찮아 보인다

약한 개일수록 쉽게 짖는다고 하는데, 금방 흥분하고 화내는 것은 대개 정신적으로 약하거나 자존감이 바닥인 사람이라는 인식이 있다. 작은 일에 대해 과도하게 신경질적이 되면 사실은 하찮은 사람으로밖에 보이지 않으니 주의하길 바란다.

그러니 만약 누군가가 실수를 해도 그것이 **작은 일이라면 눈감아주면 좋다**. 작은 규범을 위반했다고 그때마다 화를 내서는 안 된다.

- 만나기로 했던 상대가 1분이라도 늦으면 불같이 화를 내는 사람
- 내온 차가 너무 미지근하다고 분노하는 사람
- 비가 오는 날에 일 때문에 밖에서 영업하는 것이 최악이라며 투덜대는 사람
- 도장이 아주 조금 삐뚤어졌다고 해서 서류를 다시 작성해 오라고 지시하는 사람

이런 사람들은 너무나도 속 좁다는 인상을 주며, 상대방은 '정말 하나하나 까다롭네'라는 불만을 품게 되어 그 결과 관계가 나빠지기도 하니 주의해야 한다.

캐다나에 있는 몽크턴 대학의 뤽 부샤드(Luc Bouchard) 박사는 466쌍의 부부를 조사하여, 부인이나 남편, **어느 한 쪽이 너무 신경질적이면 결혼생활이 순탄치 않게 된다**는 연구결과를 발표했다. 신경질적인 사람과 같이 있으면 정신적으로 피곤해지는 것은 당연한 일이다.

성질에 맞지 않더라도 작은 일은 눈감아주는 것이 바람직하다.

만약 근무시간 중인데 선배가 커피숍에서 시간을 때우고 있는 것을 발견하면 어떻게 해야 할까? 내버려둬라. 분에 차서 상사에게 고자질을 하는 것은 당신의 이미지에도 좋지 않다. 선배가 시간을 때우든 상사가 회사 돈으로 놀고 마시든, 자신과 상관없는 일이라고 신경을 끊고 타인의 일에 대해선 그냥 내버려둬야 한다.

작은 일에 신경질적으로 굴면 상대방에게 마음에 여유가 없고 정신적으로 몰아붙이는 사람이라는 분위기를 뿜어낼 뿐이다.

비슷한 맥락에서, 쉽게 냉정함을 잃는 것도 속 좁다는 평을 듣지 않으려면 피해야 할 모습이다.

더운 날에는 "덥다, 덥다"고 불만을 쏟아내고, 추운 날에는 "추워, 추워" 하고 불평을 하는 사람이 있다. 푸념과 불평만 늘어놓는 사람 역시 그릇이 작아 보인다.

정신적으로 강한 사람은 참을성이 뛰어나다.

영국 요크 세인트 존 대학 심리학과 리 크러스트(Lee Crust) 박사는 오른팔을 벌린 상태에서 추를 매달고 얼마나 참을 수 있는지를 측정하면서, 한편으로는 정신적인 강인함을 측정하는 테스트도 병행 실시했다.

이때 참을성이 뛰어난 사람일수록 정신적으로도 강인하다는 사실이 밝혀졌다. 당연한 결과라고 할 수 있지만, 아무리 가혹한 상황에 놓이더라도 쿨한 표정을 잃지 않는 사람이야말로 대단하다는 말을 듣게 되는 것이다.

억지로 참아내야 하는 고통 속에서도 남들에게 쉽사리 힘든 표정을 보여줘서는 안 된다. 아무리 힘이 들어도 그런 일쯤은 내게 별 일이 아니라는 얼굴을 하면 주위 사람들의 칭찬과 동경이 따르게 된다.

칭찬을 들었을 때 위의 대화 상황과 같이 느긋이 대답하는 것이 비법이다. 여전히 기력이 남아 있다는 듯이 행동하는 것, 그런 여유로움이 필요하다.

공자의 제자 중에 '자장(子張)'이라는 사람이 있었다. 그가 공자에게 평생 간직할 만한 가르침을 달라고 하자 이런 답이 돌아왔다.

"모든 행실의 근본은 참는 것이 제일이니라(百行之本 忍之爲上)."

조금 걸었을 뿐인데도 피곤하다는 말을 연발하며 다른 사람들을 짜증나게 하는 사람은 인간으로서 작게 보인다. 배가 고프다고 해서 곧바로 주위 사람들에게 짜증을 내는 것은 어린 시절에나 허용되는 일이다. 사회생활을 하면서 인내심이 강한 인간이라는 사실을 어필하면 백 마디 말을 하는 것보다 더 좋은 이미지를 쌓을 수 있다는 사실을 기억해두자.

약한 모습을 보이는 것은 집에서나 하든가, 아니면
내 마음을 허용해줄 만한 사람들 앞에서만 하라.
평소에는 웬만한 작은 일은 넘어갈 줄 알고, 침을성 있는
태연한 태도를 보여야 높은 평가를 받는다.

꺼내기 힘든 말일수록
'상큼하게'

꺼내기 어려운 이야기는 밝게 웃으면서 분명하게 전달하는 게 좋다. 힘들게, 머뭇거리며 말하면 상대는 금세 방어자세로 나오면서 말이 끝나기도 전에 머리를 흔들지 모른다.

반면에 살짝 미소를 지으면서 하기 어려운 말을 분명하게 표현하면, 듣는 쪽에서는 일단 경계심을 풀게 되니 그가 아무리 꺼리는 말이라도 전달하기가 쉬워진다.

이런 조언은 자기주장을 할 때는 가급적 확실하게 전달해야 한다는 의미로 연결된다. 만약 상사가 불합리한 일로 야단을 친다면 불만을 그냥 꿀꺽 삼키는 게 아니라 자신의 솔직한 기분을 털어놓으며 부딪쳐보자. 이때 주의할 것은 안색을 바꾸고 화를 내며 대응하지 말아야 한다는 점이다.

"저는 부장님께 더 많이 배우고 싶습니다. 그러니 화를 내지 마시고 저를 키워 주십시오."

'이에는 이, 눈에는 눈'이라는 말도 있지만, 기분이 안 좋다고 상대와 똑같이 불쾌한 얼굴로 받아치는 건 최악이다.

그렇게 하면 상대방의 기분은 한층 더 악화되고, 감정싸움으로 번져 인간관계에 금이 가게 된다.

네덜란드 암스테르담 대학 자니크 왈더(Janik Walther) 교수는 쇼핑몰에서 고객들을 상대로 실험한 결과, **웃는 얼굴로 다가가 뭔가 말을 건넸을 때 64.9퍼센트의 사람이 웃는 얼굴로 반응해준다**는 사실을 확인했다.

식당에서 일하는 종업원들이 손님에게 거절을 할 때 이런 방법을 쓴다. 만약 서툴거나 퉁명스럽게 거절했다가는 손님이 다시는 식당에 오지 않는다는 걸 알기 때문이다. 그래서 종업원들은 손님의 무리한 부탁에도 미소를 지으며 상냥한 말투로 확실하게 거절하는 것이다.

각기 다른 회사의 자동차 영업사원 두 사람이 시간을 달리하며 신차 구입 상담을 위해 사무실로 찾아왔다. A사의 영업사원은 훤칠한 키에 잘생긴 용모의 30대 중반이었고, B사의 영업사원은 작달막한 키에 용모도 특별할 것 없는 20대였다.

여기까지 말하면 막연히 A사의 영업사원이 고객의 마음을 사로잡을 것 같지만, 결과는 반대였다.

곤란한 말도 표정을 밝게 하면…

A사 영업사원은 한마디를 하더라도 자신감이 철철 넘쳤는데, 한참 얘기를 나누다 보니 사뭇 거만한 표정으로 자기 말만 늘어놓으며 '당신이 차를 구입하지 않아도 차를 팔 곳은 많다'는 식이었다.

반면에 B사의 영업사원은 얼굴 가득 웃음을 지으면서 자신은 아직 경력이 짧지만 고객이 만족할 수 있도록 최선을 다해 모시겠다는 낮은 자세였다.

영업은 상품을 파는 게 아니라 마음을 파는 것이라는 말이 있다. 둘 사이를 비교해보자면 B사의 영업사원은 웃는 얼굴로 진심과 정성이라는 상품을 팔지만, A사의 영업사원은 전문가인 건 분명해 보여도 단지 상품 그 자체만을 팔고 있었다. 당신 같으면 누구를 선택할 것인가?

꺼내기 어려운 말을 할 때도 내 쪽에서 웃는 얼굴을 보여주면 그것만으로도 분위기가 험악하게 될 일은 없다. 왜냐하면 당신의 웃는 얼굴은 상대방도 웃는 얼굴로 만들기 때문이다.

어차피 부탁할 거라면 깜짝 놀랄 정도가 좋다

1900년대 초반 일본 미술의 부흥을 위해 동분서주했던 오카쿠라 텐신(岡倉天心)은 그동안 수집해온 자신의 소장품을 비롯해서 전국에 산재한 일본 전통 미술품의 전시 공간이 필요하다고 느꼈다. 하지만 그에게는 그럴 만한 자금이 없었고, 그 시대에 그런 생각에 자금을 댈 독지가도 없었다.

그래서 그는 일본 미술에 관심이 큰 미국인 의사이자 미술품 수집가인 윌리엄 비글로(William Bigelow)에게 1만 엔의 기부를 부탁하기로 했다. 1900년대 초반에 1만 엔은 엄청난 거금이어서 그가 과연 기부에 응할지 전혀 예상할 수 없었다.

그런데 그가 비글로에게 편지를 쓰고 있을 때, 아내가 다가와 이런 말을 했다.

"기왕에 부탁할 거면 1만 달러로 해보세요."

당시 환율로 계산하면 1만 달러는 천문학적인 거금이어서 그는 아내의 말에 입을 딱 벌리고 한동안 말을 잇지 못했다.

그러다 가만히 생각해보니 그가 설령 거절하더라도 절반만 응해도 엄청난 거금이어서 아내의 말에 따르기로 하고 1만 달러를 요청하는 편지를 썼다.

결과는 어떻게 되었을까? 얼마 후 텐신은 비글로한테 흔쾌하게 1만 달러의 기부를 승낙한다는 답장을 받았고, 이 돈을 바탕으로 오늘날 세계적인 규모를 자랑하는 일본미술원을 설립할 수 있었다.

이 에피소드는 **어차피 상대방에게 요구할 거라면 상대의 입이 딱 벌어질 만큼 큰 요구를 하는 편**이 오히려 좋은 결과를 도출할 수 있다는 사실을 말해준다. 사실 이런 식의 대화 테크닉은 때에 따라 적절히 활용할 수 있다.

무척 좋아하는 여성이 있다고 치자. 그녀와 교제를 하고 싶다면 데이트나 식사 같은 작은 요구를 하기보다는 처음부터 "저와 결혼해주세요!"라고 갑작스럽게 구혼을 해보는 것도 나쁘지 않다.

당연히 프러포즈는 퇴짜를 맞겠지만, 일단 상대의 관심을 끌었다는 점에서 성공이고 "그렇다면 사귀자"고 말했을 때 교제에 응할 가능성은 높아진다. 이것은 **큰 부탁을 먼저 건네고, 거절을 당했을 때 본래 준비했던 부탁을 꺼내든다는**

협상 테크닉이다.

상대방을 한 번 거절하게 만들고 나서 '좀 너무했나?'라고 죄책감을 갖게 하면, 그다음에 본래의 부탁을 했을 때 의외로 흔쾌히 들어주게 되는 심리를 이용한 것이다.

프랑스 보르도 대학의 심리학 연구팀은 해변의 리조트 바에서 계산대에 늘어선 손님들에게 젊은 여성이 다음과 같이 말하는 실험을 해보았다.

"제가 지갑을 잊어버렸답니다. 죄송하지만, 제 몫까지 내주시지 않겠어요?"

당연히 여성의 말은 모두 거절당했다. 낯선 사람의 부탁치고는 너무 컸기 때문이다. 그녀는 그 직후엔 같은 손님에게 이렇게 말해보았다.

"그럼 전화를 걸고 싶은데 3프랑만 빌려주시겠어요?"

그러자 75퍼센트의 사람들이 흔쾌히 빌려주었다고 한다. 처음부터 큰 부탁을 하지 않고 곧장 3프랑을 빌려달라고 했다면 어떤 반응이 나왔을까? 연구팀은 이 점에 대해서도 조사했는데, 10퍼센트의 사람들밖에 빌려주지 않았다고 한다.

처음부터 작은 부탁을 했는데 거절을 당하면, 더 이상은 어떤 부탁도 할 수 없게 된다. 그렇기 때문에 어차피 부탁을 한다면 처음에 기세 좋게 큰 부탁을 하는 편이 좋다.

'이런 부탁을 하면 상대방이 기분 나빠하지 않을까?'

이런 걱정이 들 정도로 큰 부탁을 하자. 운이 좋으면 큰 부탁이라도 들어줄 가능성이 있고, 만약 거절당했더라도 원래 하려고 했던 작은 부탁을 하면 그만이기에 결코 손해는 아닐 것이다.

처음부터 큰 부탁을 하라. 거절당하더라도 "그럼……"이라며 작은 부탁을 할 수 있고, 상대방은 그 부탁을 들어줄 것이다.

COLUMN 5

거절당했을 때는 '빨강 소시지'를 기억하라

자신이 어떤 제안을 했는데 거절당했을 때는, 즉시 이전보다 작은 제안을 꺼내라. 이를 '빨강 소시지법(Salami Tactics)'이라고 부르는데, 헝가리 공산당이 애용했다는 이 방법은 원하는 것을 전부 얻을 수 없을 때 조금씩 뺏어오는 전략을 취하는 협상 비법이다.

헝가리 공산당이 정권을 잡았을 때, 집권자들은 지주나 산업자본가의 재산을 한꺼번에 빼앗지 않았다. 처음에는 그들 재산의 10퍼센트를 박탈하여 소작농을 비롯한 영세민들에게 나누어주는 정책을 폈지만, 얼마 뒤에 다시 10퍼센트를 수탈하여 마침내 전부를 빼앗아버렸다.

이 같은 전략은 누군가 가지고 있는 빨강 소시지가 먹고 싶다면 한 번에 달라고 해서는 안 된다는 내용의 헝가리 민담에서 유래된 것으로, 1밀리라도 괜찮으니 잘라 나눠달라고 하면서 조금씩 가져오다 보면 결국 당사자 모르게 소시지 전부를 손에 넣을 수 있다는 것을 의미한다.

나도 이런 식으로 대화를 나누다 책 한 권을 쓴 적이 있다. 한 편집자로부터 집필 의뢰를 받았는데, 그다지 흥미가 없는 테마였기 때문에 바쁘다며 거절했다. 얼마 후 이런 말이 되돌아왔다.

"선생님은 바쁘신 분이라는 걸 잘 알고 있습니다. 그래서 저도 한꺼번에 전부를 써달라고 부탁하지는 않겠습니다. 선생님이 마음이 가실 때마다 두세 페이지씩 써주시는 것만으로 좋습니다. 기한 같은 것도 없으니 몇 년이 걸리더라도 괜찮습니다."

이런 말을 듣고 나니 부탁을 받아들일 수밖에 없었다. 그런데 나는 한번 일을 시작하면 끝내지 않고는 못 배기는 성격이라 마음이 갈 때마다 두세 페이지를 쓰고 그대로 방치해둘 수 없는 일이어서 결국 원고를 한꺼번에 통째로 쓰고 말았다.

이렇게, **거절당했을 때는 작은 부탁을 하면 된다.**

상대방이 거절할 수 없을 만큼 작은 부탁을 해서 그것을 받아들이게 하고, 결국에는 나의 요구사항을 받아들이게 만드는 빨강 소시지법을 실제 현장에서 한번 활용해보기 바란다.

베테랑 판매원은 3가지 옷을 추천한다

신사복 매장에서 판매원에게 "나는 패션 센스가 부족한데, 적당한 옷을 골라주세요"라고 말하는 고객이 있다고 치자. 이때 "이 옷을 추천합니다" 하고 딱 한 벌의 옷을 보여주는 판매원은 낙제다.

이때 프로의식이 투철한 판매원은 반드시 세 벌 정도의 옷을 제시한다. 옷을 하나만 제시하면 고객은 강요받는다는 인상을 받으며 '나한테 어울리는 다른 조합은 없다는 뜻인가?' 하는 의심을 하게 된다. 반면에 두세 가지 종류로 폭을 넓혀 건네면 선택의 주도권이 고객에게 넘어간다는 의미에서 매우 유리하다.

마찬가지로 소믈리에가 와인을 추천할 때도 반드시 두세 종류를 제안한다. 백화점이든 소규모 선물가게든 대부분 그런 식이다. 이들에게서 배울 수 있는 제안의 비밀은 이것이다.

'누군가에게 어떤 의견을 제안할 때는 반드시 복수 이상으로 하라.'

그러면 상대가 제안을 받아들여줄 확률이 확 올라간다. 선택권이 자기에게 넘어왔다고 생각하고 그중 하나에 기분 좋게 손을 뻗는 것이다. 상사에게 기획서를 보고할 때도 한 가지만 가지고 가면 그 자리에서 차일 가능성이 높다. **두세 가지 가지고 가면 그중 한 가지는 상사의 마음을 움직일 것이기에** 일을 잘한다는 이미지를 심어줄 수 있다.

내 경우 얼마 전에 스마트폰의 기종을 변경하러 핸드폰 가게에 갔다가 **판매원이 부득부득 어떤 기종 하나만 고집해서** 질린 적이 있다. 몇 가지 다른 기종을 제안해주면 그중 하나를 고르려고 했는데 그렇게 하지 않았던 것이다.

"다른 것을 봅시다."

이렇게 말하자 판매원은 무척이나 불만스러운 표정을 지었다. 내가 그런 대접을 받을 이유가 없기에 그대로 발길을 돌려 다른 매장으로 갔다.

이때 제안을 너무 다양하게 많이 해도 문제가 된다. 콜롬비아 대학 셰나 아옌가(Sheena Iyengar) 박사의 심리학 연구팀이 실험한 바에 따르면, 백화점 식품매장에서 고객에게 6종류의 잼을 보여줬을 때는 바로 구매를 했는데 24종류의 잼을 내놓자 오히려 구매 의욕을 잃었다는 사실을 알 수 있었다.

선택지가 너무 많으면 고르기가 힘들어진다. 그것은 결코 선택의 주도권을 건네준 게 아니다. 따라서 제안을 할 때는 상대방이 고르기 쉽도록 몇 종류로 국한하는 게 하나의 배려라고 할 수 있다.

무언가를 제안할 때는 반드시 복수로 두세 가지 정도를 준비한다. 단 열 개, 스무 개나 제시할 필요는 없다.

일본의 '종이왕'이 가르쳐준 것

제2차 세계대전 이전에 일본 미츠이 기업의 중심인물이자 나중에 오우지제지의 사장을 역임한 인물로 '종이왕'이라 불린 후지와라 긴지로(藤原銀次郎)라는 인물이 있다. 그가 오우지제지의 사장직을 받아들이며 회사의 재건을 위임받았을 때, 그는 자기 재산을 다 털어 휴지조각에 불과하던 그 회사의 주식을 사들였다고 한다.

'나는 이 회사와 운명을 같이하기로 각오했다.'

이런 신념을 행동으로 보여준 것이다. 그의 열정적인 행동은 두말할 필요도 없이 회사 재건의 원동력이 되었고, 몇 년 후 일본 최고의 제지회사가 되는 데 결정적인 역할을 했다.

그냥 말하는 것보다 행동이 자신의 진심을 더 확실하게 전해준다. 따라서 뭔가를 말할 때는 행동으로 나타낼 수 없을지를 다각도로 생각해봐야 한다. 행동으로 보여줄 수 있다면 온몸으로 표현하도록 하자. 그러면 그냥 말로 하는 것보다 훨씬 강렬하게 상대의 마음을 움직일 수 있다. 이것은 취업

활동을 할 때도 그대로 적용된다.

"저는 세일즈 테크닉이 뛰어납니다."

"저는 누구라도 설득할 수 있는 화술 능력이 있습니다."

"저를 뽑아주시면 최고 사원이 되어 보답하겠습니다."

아무리 이렇게 말로 떠들어도 인사담당자의 믿음을 얻을 리가 없다. 입으로는 하늘의 별도 따올 수 있기 때문이다.

만약 정말 영업에 자신이 있다면,

"귀사의 상품을 몇 가지 빌려주시지 않겠습니까? 2시간 이내에 발주 주문을 받아 오겠습니다. 그런 다음 저의 영업 기술을 판단해주시길 바랍니다."

이렇게 요청해보면 어땠을까? 작든 크든 행동으로 증명하는 편이 상대방으로부터 신용을 얻을 수 있다.

이따금 나에게 책을 출판하고 싶다며 상담을 하러 오는 사람들이 있다. 모처럼 부탁을 받았기에 이야기를 들어주면 입으로만 이런 책을 쓰고 싶다, 저런 책을 쓰고 싶다며 열변을 토하는 경우가 태반이다.

"그럼 원고를 써오세요. 내용이 좋으면 내가 아는 출판사에 얼마든지 소개해줄게요."

이렇게 말하면, **아무도 원고를 갖고 오지 않는다.** 그들은 입으로만 말한 것으로, 세상엔 그런 사람들이 질리도록 많다.

자기의 비즈니스 아이템이라면 반드시 부자가 될 거라며 열변을 토하는 사람에게 "그럼 독립해서 그 사업을 직접 해 보라"고 하면

"아니, 그 정도까지는 아니고……"

라며 고개를 숙이고 마는 사람도 많다.

행동으로 보여주지 않으면 아무에게도 진정한 열정과 의욕을 인정받지 못한다. 말과 행동이 일치하는 사람이 되도록 끊임없이 노력하자.

어떤 말을 할 때는 '이것을 행동으로 나타낼 수 있을까?' 라고 고민해보아야 한다. 행동은 말 이상으로 강렬하게 자신의 진심을 말해주는 경우가 있기 때문이다.

"주스가 맛있다"고 말하며 얼굴을 찡그린다면

"24시간 언제든 전화를 주세요. 기꺼이 도와드리겠습니다."

고객에게는 이렇게 강조해놓고 막상 밤에 전화를 하자 몹시 불친절하게 대응하는 컴퓨터 서비스센터의 직원을 보았다. "마음에 들 때까지 몇 번이라도 커트해드리겠습니다"라고 간판에 크게 써놓고, 좀 더 짧게 다시 잘라달라고 부탁하면 귀찮은 표정을 짓는 미용실 점원도 있다.

이는 **말과 행동이 완전히 불일치하는 것**이고, 그럴 때 사람들은 **행동 쪽을 믿는다.**

캐나다 마운트 세인트 빈센트 대학교의 미셸 에스크릿(Michelle Eskritt) 박사의 실험에 의하면, 주스를 마실 때 "이거 참 맛있다"고 말하면서도 맛이 없는 듯 찡그리는 표정을 짓는 사람들을 보여주면, 성인 대부분은 말보다 표정을 더 신용해서 '주스가 맛이 없다'고 판단한다는 걸 밝혀냈다.

사람은 말이 아니라 그 사람의 행동이나 표정을 더 신용한다는 증거다.

말과 표정, 어느 쪽을 믿을 것인가?

언젠가 가전제품 판매회사로 이름 높은 S사가 매스컴에 자그마한 신문광고를 냈다. 신상품 시연회에 참여하는 소비자에게 자사의 다른 상품을 선물하겠다는 내용이었다.

마음먹고 눈여겨보지 않으면 보이지 않을 만큼 작은 광고였는데도 시연회장에는 수천 명의 소비자들이 한꺼번에 몰려들어 아수라장을 이루었다. 문제는 이런 예측을 전혀 못한 회사가 선물로 약속한 상품을 터무니없이 적게 준비했다는 것이었다. 더구나 이 상품은 곧 품절될 예정이어서 재고도 얼마 없었다.

이에 당황한 회사 측은 약속된 선물을 선착순으로 주겠노라고 내용을 변경했는데, 이런 조치는 당연히 참석자들의 반

발을 사서 시연회는커녕 소비자들의 시위 현장으로 바뀌고 말았다. 아예 처음부터 시연회를 하지 않은 것만 못하게 된 것이다.

회사 측은 부랴부랴 다른 상품으로 선물을 대신하여 참석자 전원에게 주겠다고 말했지만 한번 잃어버린 신용이 회복되기까지는 오랜 시간이 걸려야 했고, 그래서였는지는 모르지만 시연회까지 가지며 발매된 신상품은 불과 1년 만에 단종이 되는 비극을 맞았다.

24시간 기꺼이 도와주겠다고 말해놓고 정말로 도움을 요청하면 귀찮다는 표정을 지으면 누구라도 그 회사를 다시는 찾지 않을 것이다. 그러니 한번 뱉은 말을 직접적인 행동으로 보여주는 게 어렵다고 예상되면 **애초부터 그런 말을 꺼내지 않는 게 좋다.**

할 수 없는 일까지 하겠다고 공언하면 나중에 감당할 수 없는 큰일이 되어 돌아온다. 그러다가 나쁜 평가를 받느니 차라리 아무 말도 하지 않고 있다가 할 필요가 없는 일을 기꺼이 해주면 상대방은 기뻐할 것이다.

'경영의 신'으로 불리는 마쓰시타 전기의 창립자 마쓰시타 고노스케(松下幸之助) 씨는 젊었을 때 전등 수리를 부탁

받았는데, 부탁받지도 않은 곳까지 여기저기 수리를 하고 돌아왔다고 한다. **요금은 받지 못했지만 사업에서 가장 중요한 '신뢰'를 얻게 되었다.**

그는 "우리 회사의 애프터서비스는 만전을 기합니다"라고 일부러 의기양양하게 자랑하지 않았다. 그런 말을 하지 않아도 서비스 정신을 행동으로 보여주면 겸손해 보이고 사람들에게도 호감을 얻을 것임을 경험을 통해 알고 있었다고 생각한다.

할 수 없는 일을 말하는 것은 금물이다. 지킬 수 없는 약속을 해서 지키지 못하는 것은 좋지 않은 모습 그 이상도 이하도 아니고 자신의 평가를 낮추기만 한다. 입으로 뱉은 말은 반드시 실행해서 언행일치를 보여주는 사람이 진짜 말을 잘하는 사람이라는 사실을 잊지 말자.

사람들은 말보다 행동을 신용하므로, 이무리 말을 잘해 놓아도 행동으로 뒷받침하지 않는다면 신뢰를 잃게 된다.

절대로 의견을 바꾸지 않는 사람 대처법

미국 작가 밥 콩클린(Bob Conklin)은 베스트셀러 《매력적인 개성의 힘》에서 사람은 누구라도 쉽게 자기 의견을 바꾸려고 하지 않고, 타인에 의해 바뀌게 되는 것은 더욱 원치 않는다고 썼다.

세상에는 절대로 자신의 신념이나 의견을 꺾지 않는 완고한 사람들이 많다. 만약 그런 사람과 대화를 나누게 되었다면 '이런 사람이구나' 생각하며 그의 의견을 바꾸려는 무모한 시도는 하지 않는 편이 바람직하다. 그러지 않으면 서로 화를 돋우는 결과로 이어질 뿐이다.

미국의 작가이자 인간관계 컨설턴트인 마이크 레이블링(Mike Leibling)은 **타인을 바꾸려고 시도하는 것보다 차라리 자신을 바꾸는 게 편하다**며 이렇게 말했다.

"상대방의 의견을 바꾸는 것은 엄청난 수고가 필요하지만, 자기 자신을 바꾸는 것이라면 지금 바로 실행할 수 있을 정도로 수월하다."

게다가 내 쪽에서 먼저 굽히고 들어가면 신기하게도 상대방이 굽혀주는 일이 많다. 가령 상담을 위한 대화에서 **"제가 졌습니다. 제가 뜻을 굽히겠습니다"**라고 말을 꺼내면 상대방도 손바닥 뒤집듯이 태도를 바꿔 **"저야말로 너무 고집을 피웠습니다. 제가 뜻을 접겠습니다"**라고 타협해주는 경우가 적지 않다.

이길 수 없는 논의에서는 재빨리 물러나는 게 앞일을 전망하기가 쉬워진다. 나 같은 경우, 아내와 언쟁을 할 때마다 재빨리 항복을 한다. 젊었을 때는 내 의견을 열심히 이해시키려고 했지만 아무리 노력해도 아내가 의견을 바꾸지 않아 결국 나만 피곤하다는 것을 알게 되었다. 그래서 요즘에는 아내가 말하는 대로 따른다.

인생에는 이길 필요가 없는 상황이 반드시 찾아온다. 무리해서 이긴다고 해도 만신창이가 되어 상처를 받고 만다면 처음부터 상처를 적게 받을 방법을 선택하는 전략, 즉 '내가 먼저 지는 것'을 선택하는 편이 좋다.

타인을 바꾸는 데 100의 노력이 든다면 나 자신과 타협하는 데에는 그보다 적은 노력이 든다. 상대가 절대 타협하지 않는 사람이라면 그에 맞춰 자신을 바꾸는 게 편하다.

Point

제 6 장

나의 사전에 '노코멘트'는 없다

하고 싶은 말을 삼키지 않고
세련되게 전하는 법

CASE 6

관계도 리콜이 되나요

"알았어, 언니. 이번 달 안으로 보내볼게. 응 끊어……."
이자와 사키는 전화를 끊고 짧은 한숨을 내쉬었다. 대학모임에서 알게 돼 직장에 다니는 지금까지 친하게 지내는 야에 언니가 돈을 꾼 것은 이번이 아홉 번째였다.

야에의 형편이 아주 나쁜 것은 아니었다. 하지만 그녀와 함께 어울리다 보면 명백한 문제가 보였다. 점심을 하러 모이면 단품만 시켜도 될 양인데 파스타와 피자에 식전 수프, 새로 나온 사이드디시와 음료까지 야에는 넘치게 시키곤 했다. 그녀가 "와, 우리 이것도 먹어볼까?" 하면 그녀의 기세 때문인지 간만에 모인 분위기의 흥을 깨기 싫어서인지 무리의 대부분은 "응응" 하며 고개를 끄덕였다. 식사를 하고선 2차, 3차로 디저트 가게와 카페를 향하는 걸 잊지 않았다.
사키는 야에를 만났다 하면 하루 예산을 오버해서 썼고, 야에의 경우 이런 날뿐만 아니라 평소의 생활패턴에서도 씀씀이가 헤펐다.

처음 야에 언니가 사키에게 돈을 빌려달라고 했을 때 사키는 흔쾌히 돈을 보내주었다. 만나면 기분이 좋고 유머러스한 그녀는 어리광부리는 부탁을 해와도 밉지 않은 사람이었다. 그 후로 몇 번 더 요청이 거듭되었을 때도 사키는 이렇게 생각했다.

'언니가 돈을 빌리면 꼬박 갚긴 하잖아……. 나도 그때마다
빌려줄 돈이 부족한 것은 아니고. 우리의 다른 친구들보다
날 편하게 생각해서 그런 건데 거기에 부응하고 싶어.'

하지만 두 사람 모두 회사에 다니게 됐음에도, 사키의 월급날
즈음이면 전화를 해 핸드폰 요금과 공과금을 때워야 한다고
다급하게 부탁하는 야에에게 그녀는 조금씩 질려가기 시작했다.
그리고 그런 자신을 의식하면 죄책감도 들었다. '언니는
사람으로서는 참 좋고, 내게 잘해준 것도 많은데…….
돈 문제로 이러는 건 너무 속물 같나.' 친구들에게 어렵게 고민을
토로하자 이런 대답이 돌아왔다. "너 아직도 그러고 있니?
난 벌써 그 사람이랑 관계 끊은 지 오래야!"

처음엔 그들이 매정하다는 생각이 들었지만, 내심 불만을 품은 채
언니 앞에서 사람 좋은 척을 계속하는 자신이 더 우습지 않은가라는
괴로움이 커졌다.
고민하던 사키는 마침내 결심을 하고 핸드폰 메신저를 켜 장문의
문자를 적어나가기 시작했다. 정말 좋은 관계가 되고 싶어서,
그렇기 때문에 언니의 이번 부탁은 들어줄 수 없다고…….
긴 문자 끝에 전송 버튼을 눌렀다.

이제 야에가 어떻게 대답해올지 이 관계가 어디로 향할지 알 수 없지만
한 가지 확실한 것이 있었다.

관계에서 변화를 일으키고 싶다면 두려워도 반드시 한 번은
용기를 내야 한다는 것.

지금이 바로 그 순간이었던 게 아닐까.
사키는 어딘지 차분해진 마음으로 핸드폰 화면을 껐다.

의견을 물으면
아무리 진부한 말이라도 하라

매스컴의 인터뷰 요청을 받은 정치인이나 연예인이 "노코멘트"라고 말한 뒤에 총총히 자리를 뜨는 경우를 종종 본다. 가장 한심한 대답이라고 할 수 있다.

정치인이나 연예인은 공인이라 대중의 관심사가 되는 문제의 당사자라면 자기 의견을 당당히 밝혀야 하는데, 도망치듯 자리를 피하는 모습은 불성실하고 무책임하게 보인다.

회의에서 발언을 요청받으면 한참을 머뭇거리다 "잘 모르겠습니다"라고 하거나 "다른 분들의 의견에 따르겠습니다"라고 말하는 사람들이 많다. 이는 자기 생각이라곤 없는 사람으로 보이는 지름길이다.

어떤 자리에서든 말할 기회가 생기면, **아무리 진부한 의견이라도 당당하게 자신의 의견을 말해야 한다.**

미시간 주립대학의 박희선 교수도, '어떤 의견이든 확실히' 말하는 편이 다른 사람에게 바람직한 평가를 받는다고 하는 데이터를 밝혀냈다. **입을 다무는 것이 가장 좋지 않다**

는 것을 알 수 있는 연구로, 설사 상대방의 의견에 반하는 내용이라도 당당하게 발언할 수 있어야 한다는 것이다.

대기업에서 몇 년을 근무하면서 회의에도 여러 차례 참석했는데 "저런 사람이 우리 회사에 있었나?"라는 말을 듣는다면 그런 사람은 투명인간에 지나지 않는다.

머릿속에서 깊은 생각을 하느라 그랬을지 몰라도 입 밖으로 뱉지 않으면 생각은 존재하지 않는 것과 같다. 제대로 발언하는 것이야말로, 당신이 남들보다 많이 고민했다는 것을 알릴 수 있는 유일한 방법이다.

그러니 언제라도 자신의 의견을 꺼낼 수 있도록 준비해두자. 발언을 할수록 말하는 일에 익숙해져서 세련된 발표가 가능해진다. 그러면 그로 인해 자신을 어필할 수 있는 기회도 늘어나 이왕 발언을 한다면 말을 잘하는 능력자처럼 보여야겠다는 생각이 들게 된다.

하지만 현실적으로는 아무 의견도 떠오르지 않는 경우가 있다. 이럴 때는 어떻게 해야 할까? 아무것도 떠오르지 않는다고 너무 솔직하게 대답해서는 안 된다. 이때는 아무리 의견이 없어도 의견이 있다는 분위기를 슬쩍 풍겨야 한다.

"제 나름의 의견이 있습니다만, 아직 정리가 되어 있지 않습니다. 정리되면 말씀드리겠습니다."

이렇게 말하고 나서 시간을 벌도록 하자.

그 사이에 다른 사람의 의견을 듣고 자신의 생각을 재빨리 정리하는 것이다.

참 이상하게도, 타인의 말을 듣는 것만으로도 그 일이 힌트가 되어 재미있는 아이디어가 떠오르는 경우가 종종 있다. 그렇기에 좋은 의견이 떠오르지 않을 때는 타인의 이야기를 먼저 잘 들어두는 게 좋다.

의견을 물으면 아무리 진부하거나 소소한 의견이라도 반드시 얘기하라. 말할 기회를 버리는 것은 스스로 자신의 존재감을 부정하는 일이다.

진심은
감추지 않는 것이 유리하다

국회의원의 질의응답이나 정부인사의 청문회 등을 보고 있으면, 질문 받은 내용과는 전혀 관계없는 말을 꺼내는 이들이 많음을 알 수 있다.

"어떻게 예산의 재원을 확보할 것입니까?"

라는 질문에 대해서 "이렇게, 저렇게 해서 확보할 것입니다"라고 한마디로 대답하면 되는데, "그 정책은 이러저러하게 보완해 흔들림 없이 추진하겠다"는 둥 쓸데없이 5분 넘게 **관계없는 이야기를 해서, 질문받은 내용을 흐지부지하게 만들어버린다.**

질문하는 쪽이 "한마디로 대답해주세요!"라고 소리를 쳐도, 한마디로 대답해주는 의원은 좀처럼 찾아볼 수 없다. 심지어 "그렇습니까, 아닙니까?"의 단답형 질문에도 마찬가지다. 정치인이란 질문의 의도에 맞게 대답을 해서는 안 된다는 불문율이라도 있는 것인지 의심이 들 정도다.

기업에 불상사가 있을 때에도, 기자로부터 질문을 받는

기업담당자는 미꾸라지처럼 대답을 회피한다. 질문과 대답이 전혀 어울리지 못한 채 커뮤니케이션이 성립되지 않는 듯한 모습이 부지기수다.

"어떻게 책임을 질 생각입니까?"라는 질문에 대해서도, "저의 책임입니다. 제가 전부 책임질 것입니다"라고 하는 사람은 보이지 않는다. 대부분 입을 꾸물꾸물거리는 애매한 답변밖에 들을 수 없다.

오하이오 주립대학의 수전 클라인(Susan Kline) 박사는 인종차별이나 공장의 오염문제로 고소당한 기업, 혹은 내부자 거래로 고소당한 기업 등이 미디어에게 추궁을 받을 때 어떤 식으로 대답했는지를 분석했다.

그 결과, 미디어의 질문에 제대로 대답하는 기업이 어설프게 넘기려고 하는 기업보다 오히려 신뢰도가 높았고 호평을 받았음이 밝혀졌다.

진실과 진심은 감추려고 해도 언젠가는 드러나기 마련이다.

따라서 대답하기 어려워도 결국 드러나기 마련인 일을 오히려 재빨리 드러내는 편이 어설프게 감추려고 하는 것보다 당당해 보인다.

예를 들어 "예산의 재원은요?"라는 질문을 받고 원론적인 얘기를 읊으며 딴말을 하는 의원보다 "사실 재원이 없습니다. 어떻게 할까요. 하하하."라고 대답해주는 의원을 국민들은 더 좋아할 수 있다. 감추는 일이 없다는 것만으로 성실하게 보이기 때문이다.

아픈 곳을 찌르는 질문을 받았을 때는, 그 자리에서 얼버무리며 넘기려고 해서는 안 된다.

자신은 잘 얼버무려 넘겼다며 안심할 수 있으나, 상대방은 당신이 대충 넘기려고 했다는 것을 이미 알고 있다.

도저히 상대방의 질문에 대해 대답을 할 수 없다면 쓸데없는 말은 하지 말고 한마디로 대답을 하는 편이 좋다.

"그 점은 대답할 수 없습니다."

주절주절 떠벌리며 설명할수록 신뢰와 호감은 줄어들고 만다. 대답할 수 없다면 대답할 수 없다고 간명하게 대답하는 편이 좋다.

자신의 실수나 잘못을 언급하지 않는다고 감춰지는 것이 아니다. 오히려 관련 질문을 받았을 때는 사실을 솔직히 드러내는 편이 당당하게 보이며 호감을 살 수 있다.

지지하는 정당이 다른 사람과 대화하려면

선거 때가 되면 A정당을 지지하는 사람이 B정당 지지자에게 A정당의 장점을 늘어놓으며 생각을 바꾸게 만들려고 애를 쓰는 모습을 자주 본다.

기본적으로 **사람은 자신의 태도나 신념을 바꾸려 하지 않는다.** 미국 오하이오 주립대학 심리학과 실비아 웨스터윅(Silvia Westerwick) 박사는 이렇게 말했다.

"사람은 자신의 신념이나 의견에 반하는 것으로부터는 자연스럽게 눈을 돌리는 경향이 있다."

실비아 교수는 이런 사실을 입증하기 위해 총기 규제에 관한 다양한 내용의 기사를 읽혀보는 실험을 했는데, 실험 대상자들은 자신의 신념과 일치하는 내용만 읽고, 일치하지 않는 내용은 아예 거들떠보지도 않았다.

다른 실험도 있다. 초능력에 관한 보고서를 준비해 사람들에게 자유롭게 읽어보도록 했는데, 초능력의 존재를 믿는 사람들은 '초능력이 존재한다'고 하는 기사만 읽고, 초능력을 믿지 않는 사람들은 '초능력이 거짓'이라고 하는 기사만 읽었다는 결과가 나왔다.

사실 인간은 이상할 정도로 완고하다. 자기 생각의 울타리 밖으로 나와서 유연하게 타인의 의견을 받아들이고 수렴하는 경우가 거의 없을 정도다. 왜 그럴까? 만약 그랬다가는 주위 사람들로부터 줏대 없다는 말을 듣는다는 사실을 경험으로 잘 알기 때문이다.

이런 논리를 대화법에 적용하면, **상대방의 신념이나 태도에 반하는 말은 아예 하지 않는 편이 좋다**는 결론에 이르게 된다. 왜냐하면 아무리 설득을 해도 대개는 쓸데없는 일이 되기 때문이다.

상대의 신념이나 태도를 바꾸려다 보면 나 또한 과열될 수밖에 없다.

"왜 이해해주질 않는 거야!"

"왜 납득해주질 않는 거야!"

이렇게 감정적으로 대응하게 되어 멀쩡하던 인간관계마저 틀어지곤 한다. 그래서 나의 경우, '말해도 들어 주지 않을 것 같은 사람에겐 말을 하지 않는다'를 늘 염두하고 상대방이 조금이라도 감정적으로 덤벼들 것 같으면 "그래, 뭐, 세상엔 다양한 생각이 존재하니까"라고 그 이상 논하는 것을 멈춘 뒤 "그건 그렇고 말이야……"라며 바로 화제를 바꿔버린다.

예를 들어, 나는 학력이 높은 편일수록 사회에 나오면 여러모로 유리하다고 생각하지만 '학력 따윈 사회에 나와서는 눈곱만큼도 도움이 안 되더라'고 하는 신념을 가진 사람을 만나면, **"뭐, 학력 이야기는 이쯤에서 제쳐두고, ○○ 씨는 이상형이 어떻게 됩니까?"**라고 반강제적으로 화제를 바꾼다. 귀찮은 언쟁은 하지 않는 편이 현명하다. 특히 술자리에서나, 실없는 세상만사를 이야기할 때가 더욱 그러하다.

이성을 잃고 감정적이 되는 사람을 보면 여러분은 어떤 생각이 드는가?

'왠지 얄밉다'는 생각이 들지 않는가? 그렇듯, 자기 자신 또한 그런 한심한 모습이 되지 않도록 유의하자.

물론 논의를 계속하고 싶다면 그래도 괜찮지만 마음 한구

석엔 **'어차피 상대방은 의견을 바꿀 리 없다'**는 반쯤의 체념을 지니고 있어야 한다. 그것이 대화 중에 냉정함을 유지하는 방법이다.

말로 상대방의 마음을 바꾸려고 하기 때문에 감정적이 된다. 상대의 신념을 바꾸는 일은 불가능에 가까우므로 더 이상 쓸데없는 논박을 멈추고 재빨리 화제를 돌려버리자.

COLUMN 6

말이 서툴다면
그것을 대신할 무기를 찾아라

영업활동을 할 때마다 너무 서툴러서 자신은 영업에 어울리지 않는다며 한숨을 쉬는 사람들이 있다. 그들은 무엇보다 자기소개를 하는 것만으로도 긴장하고 만다. 고객만 만나면 눈앞이 캄캄해지고, 숨이 턱턱 막힌다는 사람도 있을 정도다.

한 영업사원은 그래서 자기소개의 인사말을 건너뛰기 위해 한 가지 계책을 만들었다. 미리 **자신의 프로필을 A4 사이즈의 용지 한 장에 정리**한 뒤에 고객을 만날 때마다 "자기소개 대신 준비해봤다"며 그것을 건네주기로 한 것이다.

게다가 거기에 성장과정이나 학창시절의 이야기 등 **사적인 내용**도 살짝 곁들였는데, 이게 웬일인가? 고객의 열렬한 호응을 얻어 재구매 의사를 밝히는 사람이 늘고 심지어 새로운 고객을 소개해주겠다는 사람들도 있었다.

사우스 일리노이 대학의 진 커닝햄(Jean Cunningham) 교수는 사람들에게 자신의 프로필을 알려줄 때는 **조금 길게 말하는 편이 더 호평을 받는다**는 사실을 실험으로 확인했다.

그냥 간단히 이름과 직책만 말하고 자기소개를 마치는 것보다는 출신지와 가족관계, 취미, 애완동물 같은 소소한 개인사를 포함하는 편이 상대가 당신을 받아들이기 쉽다는 뜻이다.

말하는 것이 서툴다면 아까 소개한 영업사원처럼 문서로 대신해도 무방하다. 형태와 방법이 무엇이든 어필을 하는 게 중요하므로 어떤 방식인지는 문제되지 않는다.

요즘 시대에 맞게 이메일도 좋다. 만나서 대화하는 것이 서투르다면 메일로 끊임없이 연락을 해보는 것은 어떤가? 조금씩 조금씩 이메일을 꾸준히 보내다 보면 상대로부터 '부지런한 사람'이라는 평가를 받을 수 있다. 게다가 꼼꼼하게 이메일을 쓰다 보면 문장력도 좋아져서 사람들의 마음을 움직일 만한 문장력이 생길지도 모른다.

말하는 게 서투른 자신의 콤플렉스가 사라지고 오히려 이메일을 쓰는 것이 장점이 됨으로써 분명 자신감을 가지게 될 것이다.

무엇이든 장점이 될 만한 기술을 가지고 있으면 모든 것을 전부 잘하지 못해도 괜찮다. 말이 서투르다면 말하는 것 이외의 커뮤니케이션 능력을 기르면 된다.

상대방의 눈을 보고 말할 때 긴장한다면 전화를 이용하는 건 어떨까? 전화 상에서 당당하게 말할 수 있는 능력을 기르면 된다. 예쁜 글씨를 쓸 수 있다면 조금 시대에 뒤떨어지더라도 손글씨로 어필하면 된다.

대화에서 제일 중요한 것은 자신만의 무기를 만드는 것이다. 이 책에서는 대화법에 특화된 테크닉을 중심으로 소개해 왔지만, 아무래도 말하는 게 서툴다면 그것을 대신할 만한 것을 여러분 스스로가 찾아보기 바란다. 그것으로 스피치 이상의 효과를 낼 수 있을 때까지 노력한다면 효과는 충분할 것이다.

어떤 협상에서도 만만하게 보이지 않는 법

비즈니스를 위한 대화에서 협상은 필수적인 과정이다. 협상은 어떤 일을 이루기 위해 서로 의논하여 합의점에 도달한다는 의미이고 영어로 하면 'negotiation'인데, 여기엔 절충이라는 뜻도 있다.

절충이란 양자의 의견을 알맞게 조정하여 서로 만족하게 되는 것이 핵심이다. 그러니 상대의 말에 일방적으로 끌려다니기만 한다면 협상이라고 볼 수 없다. 나에게 이득이 없는 협상은 복종에 가깝기 때문이다.

상대방에게 A라는 일을 요청받았을 때 곧바로 "그렇다면 대신 B를 해주세요!"라고 조건을 붙여 응수하면 상대방은 당신을 만만한 사람이 아니라고 보게 된다. 그런 당당함이 협상의 첫째 조건이다.

"내가 A를 해줄 테니 당신은 B를 해주세요."

"나의 C와 당신의 D를 교환합시다."

이처럼 서로 조건을 붙이면서 누구 한 사람만이 이득을

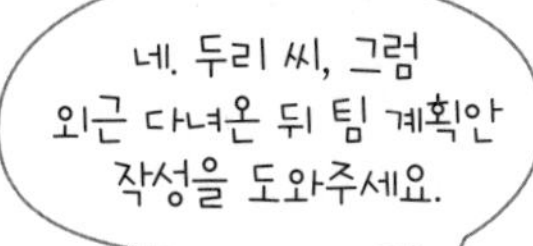

독차지하는 게 아닌 서로에게 유익한 결과를 맺어가는 것이 바로 협상이다.

협상을 잘한다는 것은 다른 사람과 잘 어울리며 대화를 이끌어간다는 뜻이다. 그렇게 되기 위한 방법은 간단하다. 많은 협상을 해보면 된다. 운동경기처럼 꾸준히 훈련을 쌓으면 누구라도 협상을 잘할 수 있다.

경험을 많이 쌓기 위해서는 때론 용기를 내야 한다. 가령 회사에서 커피나 차 심부름을 지시받으면 **"그럼 다음 프로젝트에서 제가 리더를 맡게 해주십시오"**라고 당당하게 요청해봐도 좋다.

그것을 승낙해줄지 말지는 별개지만 일단 자신감 있는 사람으로 비칠 테니 이득이다. 이런 식으로 일상에서 경험을 쌓고 훈련을 해나가면 협상을 잘하는 사람으로 거듭나게 될 것이다.

어떤 조건을 붙이면 상대방이 받아들일지, 어떤 대화 스타일을 유지해야 좋을지에 대한 '감'은 사전에 충분한 연습이 뒷받침될 때에야 얻어진다. 그렇지 않으면 중요한 대화에서 생각하는 대로 입이 움직이지 않아 실패할 수밖에 없다.

협상력을 비롯해서 대화 테크닉, 말투 습관 등을 새롭게 가다듬으려 할 때는 책을 읽고 지식을 얻는 것도 중요하지만, 그 이상으로 중요한 것이 실제 현장에서 지식을 시험해 보는 것임을 잊지 말자.

협상이라고 하면 왠지 무거운 인상을 줄 수 있으나, 실은 결국 대화를 하라는 것을 가리킨다. 서로가 만족할 수 있도록 말을 나누는 것, 이것이 바로 협상이다.

토론의 '선공' 보다 '후공' 이 좋은 이유

합기도에서는 먼저 다가서는 공격이 없다. 합기도는 원래 방어를 위한 무술이기 때문에 공격해오는 사람에게 어떻게 대처할지에 주안점을 두고 있다.

토론에서도 합기도의 방식을 참고할 만하다. 먼저 상대방에게 공격하게 만드는 것, 요컨대 상대방에게 먼저 주장을 말하게 하고 그다음에 반격하는 게 좋다.

내가 먼저 토론을 전개하면 논의의 주도권을 잡을 수 있을지는 모르지만 나의 속내가 상대에게 들켜버릴 위험이 있다. 그러니 상대에게 먼저 하고 싶을 만큼 말하게 만들고, 그 동안 나는 그의 논리에 따라 천천히 반론을 생각하면 된다.

독일의 커뮤니케이션 전문가 바바라 베르크한(Barbara Berckhan)도《화나면 흥분하는 사람 화날수록 침착한 사람》이라는 책에서 같은 조언을 하고 있다.

곧바로 자기 자신의 의견을 말하는 것이 아니라 먼저 상대방에게 이야기를 하게 만드는 것이 포인트다.

상대방 주장의 근거가 모두 나왔을 때쯤 그 근거를 하나씩 파헤치라는 것이다.

처음에 상대부터 말하게 만들면, 그의 의견을 '발판'으로 삼아 더욱 활발하게 논의를 전개할 수 있다. 상대의 말에 충분히 귀를 기울이다 보면 그만큼 나의 의견이 떠오르게 되는데, 그것은 의문점이어도 좋고 개선할 문제여도 좋다. 거기서부터 나의 논리를 전개하는 것은 보기보다 어렵지 않다.

"선생님의 고견을 듣고 나서 이런 점을 깨닫게 되었습니다."

"당신의 의견은 다른 관점에서 봐도 장점이 있습니다. 예를 들어……"

이런 식으로 상대의 논의를 한층 발전시킬 수 있다면 상황 판단이 무척 빠른 사람처럼 보인다. 게다가 그것을 방금 전에 생각난 게 아니라 애초부터 생각하고 있었다는 듯이 말한다면 더욱 좋다.

나는 세미나의 질의응답에서 대답하기 어려운 질문을 받을 때는 상대방에게 반대로 질문을 해본다.

"그렇군요. 그런데 그 질문에 대해, 당신은 어떤 답을 생각하고 있습니까?"

이렇게 반문한 뒤에 그가 자기 논리를 펼치는 동안 나는 그의 의견을 참고하면서 대답을 정리한다. 책의 앞에서 먼저 말을 해버림으로써 상대보다 심리적으로 우위에 서는 법을 소개하긴 했지만, 그렇게 하기 위해서는 사실 처음부터 자신의 확고한 의견을 가져야 한다는 문제가 있다.

그런 점에서도 상대에게 먼저 말하게 하는 편이 **나중에 얼마든지 논의를 전개하기에 편리하다.** 어느 쪽을 선택할지는 각자의 취향이겠지만, 무슨 방법이든 자기만의 논리 전개를 해나가야 한다는 점에서는 재론의 여지가 없다.

자신의 의견이 아직 확고하지 않다면 이 토론에서는 '선'보다 '후'가 유리하다.

우아하게 져줘야 할 때, 물러서지 말아야 할 때

토론에서는 우아하게 져줘야 할 때도 있다.

우아하게 물러나는 태도는 **심리적으로 상대보다도 우위에 있다는 확신**에서 나온다. 어른과 아이의 팔씨름 정도라고 생각하며 조용히 손을 들어버리는 여유를 보이면 상대는 심리적으로 '이게 아닌데?' 하는 혼란에 빠지게 된다.

이런 상황은 라이벌이라고 생각되는 상대라면 더욱 심화된다. 미시간 대학 스티븐 가르시아(Stephen Garcia) 교수는 이렇게 말한다.

"비즈니스 미팅에서 업계 1,2위처럼 회사의 규모나 순위가 엇비슷하면 토론이나 협상이 한층 격렬해지는 경향이 있다."

하지만 이럴 때일수록 마음속으로 '우리 쪽이 훨씬 우월하다'고 생각하며 때로는 우아하게 양보하는 것도 필요하다.

"하하하, 우리가 안 되겠네요. 크게 한 방 먹었습니다."

"하하하, 드릴 말씀이 없네요. 저희가 졌습니다."

만면에 미소를 띠며 이렇게 양보한다면, 회사의 운명이 갈린 일도 아닌데 어떻게든 이기려고 했던 상대는 입에 거품을 물었던 자기들의 처신을 돌아보며 뭔가 크게 한 방 먹었다는 생각을 지울 수 없을 것이다.

한편, 이와는 반대로 의도적으로 물러서지 않는 대화 테크닉이 필요할 때도 있다.

"말씀은 충분히 이해합니다만, 그래도 저는 A안이 더 올바르다고 생각합니다."

"말씀하신 부분에 이러저러한 모순이 있습니다. 그래서 저는 B안을 지지합니다."

이처럼 끝까지 물러서지 않으면 상대는 만만치 않은 사람이라는 느낌을 받게 된다. 조금은 자존심이 강하고 고집스럽다는 비판을 받을 우려도 있지만, 상대에게 강한 모습을 보여야 할 때는 이렇게 돌부처처럼 꿈쩍 않는 태도를 보여줘야 한다.

미국 노스웨스턴 대학 캐머런 앤더슨(Cameron Anderson) 교수는 심리학과 학생들을 상대로 레스토랑에서 종업원들에게 팁을 얼마나 주는 게 적합한지 파트너와 토론을 하는 심리 실험을 해보았다.

결과는 정신적으로 강한 사람들이 토론에서 물러서지 않는 경향이 큰 것으로 나타났다. 어쩌면 당연한 결과인데, 그만큼 정신적으로 강한 사람들은 상대방의 공격이나 허점의 지적에도 크게 동요되지 않는다는 사실을 반증한다.

하지만 이런 심리 실험은 미국인들을 대상으로 한 것이기에 동양인들에게도 액면 그대로 적용될까 하는 의심이 든다. 아마 대부분의 동양인들은 너무 자존심이 강하고 완고함이 지나치면 마치 말 안 듣는 아이처럼 보여서 어른스럽지 않은 인상을 준다고 생각할 것이다.

여기에 동서양의 인식 차이를 조금이나마 좁힐 수 있는 절충안이 있다.

① 그것은 토론 종반부까지 끈질기게 한 발자국도 물러서지 않는 모습을 보이다가

② 마지막 순간에 조금 양보하는 자세를 취하는 것이다.

이러면 처음부터 상대의 말대로 따르지 않았고, 쉽게 타협도 하지 않은 모습을 보였기에 강인하다는 인상을 충분히 어필할 수 있다. 즉 상대방에 맞서 할 말을 다하다가 마지막에 이렇게 말한다.

"듣고 보니, 당신의 말도 일리가 있다는 생각이 듭니다. 이쯤에서 제가 물러서겠습니다."

이러면 흑인지 백인지 확실히 결론을 낸 게 아니라 어디까지나 회색의 무승부로 끝내는 것이니 좋은 방법이 아닐까?

협상이나 토론에서 금세 자기의 의견을 접고 타인의 생각을 추종하는 사람은 어딘지 줏대 없는 사람으로 보인다. 반면에 자기 의견만 옳다고 끝에 끝까지 눈을 치켜세우고 고집을 피우는 사람도 손을 잡기 힘든 이로 비치기는 마찬가지다.

토론이나 협상에서 끝까지 물러서지 말아야 할 때는 단호한 태도로 자신의 의견을 피력해야 하지만, 우아하게 물러설 때를 알아내는 것도 지혜로운 대화법의 하나라는 사실을 잊지 말기 바란다.

우아하게 지는 법이란, 심리적으로 내가 상대방보다도 위에 있다고 믿는 것이다. 어른과 아이 정도의 차이라 생각하고 얼마든지 승리를 양보할 수 있다. 다만 토론 후반부까지는 상대방의 말에 쉽게 타협하지 않고 내 의견에 관해서 물러서지 않는 모습을 보여주는 것도 중요하다.

찬성은 75%여야
존재감을 드러낼 수 있다

미국 일리노이 대학의 제랄드 클로어(Gerald Clore) 교수는 상대방이 말하는 것에 아홉 가지를 찬성하고 세 가지를 반대(75퍼센트 찬성)하는 것이 세 가지를 찬성하고 아홉 가지를 반대(25퍼센트 찬성)했을 때보다 대화에서 좋은 평가를 받을 수 있다고 말한다.

전체의 75퍼센트 정도를 찬성하면 남은 부분에 대해서 반대해도 그렇게 미움을 받지 않는다는 것이다. 그러니 상대방에게 이의를 제기하는 것이 그렇게 신경 쓸 일은 아니다.

대화를 나눌 때, 상대방이 말하는 내용을 액면 그대로 찬성하면 별로 재미가 없다. 예전에 주주총회에서는 '찬성 그룹'이라 불리는 사람들이 있었다. 주주총회에 참석해서 무조건 "찬성! 찬성!"을 큰소리로 떠들어대는 사람들을 가리킨다.

의견을 말한 사람은 상대가 무조건 찬성해주면 반대하는 것보다야 기분이 좋겠지만, **어딘지 의뭉스럽다**는 마음도 든다. 상대가 상사 혹은 친한 단골손님이라 해도 '이 사람 혹시 생각도 없이 다 좋다고 하는 건가?' 하는 의심을 하게 될 위험도 있다.

따라서 총론에는 찬성하더라도 한두 가지는 반드시 비판을 해서, 완전한 예스맨이 아니고 올바르게 사물을 판단할 수 있는 능력이 있다는 사실을 어필해두면 좋다.

"전체적으로는 좋은데, 두 가지 정도의 문제가 있는 것 같아."

"총론은 기꺼이 받아들일 수 있습니다만, 딱 한 가지 걸리는 게 있습니다."

이런 식으로 말해서 나름의 의견을 추가하거나 부분적으로 상대방의 의견을 부정해보자.

상대방이 10의 의견을 말했을 때 그중에 2는 반대하고 남은 8에 대해 찬성하면 그 사람도 체면이 깎였다고는 느끼지 않을 것이다.

오히려 10의 의견을 모조리 찬성하면 상대는 '생각이 없는 사람이로군' 하며 머리를 갸웃거릴지 모른다. 그러면 좋다고 한 것조차 받아들여지지 않아 실패로 끝나게 된다.

반대로 상대방이 10의 의견을 말할 때 10을 전부 부정하

찬성하면서도 내 존재감을 드러낼 수 있다

는 것 역시 상대방의 체면을 완전히 깎아내리는 일이 되어, 상대방은 당신이 싸움을 건다고 생각하게 된다. 따라서 말 전체의 균형은 어디까지나 '찬성'임을 나타내면 좋다.

총론에서는 찬성하되, 몇 가지 수정할 부분이 있는 것처럼 제안하면 상대는 순순히 받아들일 것이다.

Point

세상에 비치는 이미지는 말투로 결정된다

예전의 나는 정말이지 바보였다. 머리가 나쁜 주제에 다른 사람보다 자존심이 몇 배는 강해서, 창피를 당하거나 무시당하는 상황을 참지 못했다. 그 때문에 어려서부터 이런 생각에 빠지곤 했다.

'어떻게 하면 머리가 좋아 보일까?'

'어떻게 하면 멋진 인물로 돋보일 수 있을까?'

이런 열정을 공부에 쏟았더라면 머리가 더 좋아졌을 텐데 하는 생각이 들 정도로 잔꾀만 부리려고 했던 것이다.

내가 대화법에 관심을 쏟게 된 이유는 나 자신에 대한 평가를 높이고 타인에게 만만해 보이지 않기 위해서는 역시 '말'이라는 무기가 제일이라는 결론을 내렸기 때문이다.

타인에게 어떤 인상을 줄 수 있을지는 그 사람과의 대화를 어떻게 이끄느냐에 따라 결정된다. 실제로 말을 잘하는 사람은 타인에게 만만하게 보이거나 무시당하지 않는다.

나는 화술과 심리학을 접목하는 작업에 매달렸고, 그 결과 지혜로운 대화법을 담은 일련의 책을 출간하기에 이르렀다.

어떻게 하면 교양이 넘치고 지적이며 인텔리적인 대화 테크닉을 구사할 수 있을까? 답은, 1만 권 정도의 책을 독파해서 동서고금의 교양을 쌓으면 된다. 지식의 양이 늘어나면 그것만으로 누구에게도 무시당할 일 없이 지적인 대화를 나눌 수 있을 테니 말이다.

하지만 그러기 위해서는 피나는 노력이 필요한데 독자 여러분에게 그런 부담을 강요하고 싶은 마음은 없다. 나의 경우는 대학시절, 동서고금을 막론한 사상가의 두꺼운 저서들을 닥치는 대로 읽어가며 그것만이 교양을 익히는 방법이라고 생각했지만, 같은 노력을 다시 하라고 하면 도저히 할 마음이 안 든다. 그런 일을 독자 여러분에게 시킬 수 없다.

별로 노력을 할 필요가 없지만, 훌륭해 보이도록 꾸밀 수 있고, 지적인 이미지를 만들어 낼 수 있다……. 어려운 임무라고 인지하면서도, 그럼에도 어떤 방법을 찾았다고 생각한다.

이 책은 바로 그런 바람을 품어온 분들에게 작은 희망을 드리기 위해 출판되었다. 이 책이 독자 여러분의 사회생활에 조금이나마 도움을 드리게 된다면 기쁘겠다.

나이토 요시히토

· Anderson, C., & Berdahl, J. L. 2002 The experience of power: Examining the eff ects of power on approach and inhibition tendencies. Journal of Personality and Social Psychology, 83, 1362-1377.

· Ang, S. H., & Lim, E. A. C. 2006 The influence of metaphors and product type on brand personality perceptions and attitudes. Journal of Advertising, 35, 39-53.

· Bickman, L. 1974 Clothes make the person. Psychological Today, April, 49-51.

· Bouchard, G., Lussier, Y., & Sabourin, S. 1999 Personality and marital adjustment: Utility of the fi ve-factor model of personality. Journal of Marriage and the Family, 61, 651-660.

· Braverman, J. 2008 Testimonials versus informational persuasive messages: The moderating effect of delivery mode and personal involvement. Communication Research, 35, 666-694.

· Busch, P., & Wilson, D. T. 1976 An experimental analysis of a salesman's expert and referent bases of social power in the buyer-seller dyad. Journal of Marketing Research, 13, 3-11.

· Carney, D. R., Hall, J. A., & LeBeau, L. S. 2005 Beliefs about the nonverbal expression of social power. Journal of Nonverbal Behavior, 29, 105-123.

· Carton, A. M., & Aiello, J. R. 2009 Control and anticipation of social interruptions: Reduced stress and improved task performance. Journal of Applied Social Psychology, 39, 169-185.

· Chock, T. M., Angelini, J. R., Lee, S., & Lang, A. 2007 Telling me quickly: How arousing fast-paced PSAs decrease self-other differences. Communication Research, 34, 618-636.

· Clore, G. L., & Baldridge, B. 1968 Interpersonal attraction: The role of agreement and topic interest. Journal of Personality and Social Psychology, 9, 340-346.

· Cotter, E. M. 2008 Influence of emotional content and perceived relevance on spread of urban legends: A pilot study. Psychological Reports, 102, 623-629.

· Crust, L., & Clough, P. J. 2005 Relationship between mental toughness and physical endurance. Perceptual and Motor Skills, 100, 192-194.

· Cunningham, J. A., Strassberg, D. S., & Hoan, B. 1986 Effects of intimacy and sex-role congruency of self-disclosure. Journal of Social and Clinical Psychology, 4, 393-401.

· Decker, W. H., & Rotondo, D. M. 1999 Use of humor at work: Predictors and implications. Psychological Reports, 84, 961-968.

· Gasper, K., & Clore, G. L. 2002 Attending to the big picture: Mood and global versus local processing of visual information. Psychological Science, 13, 34-35.

· Eastwick, P. W., & Finkel, E. J. 2008 Sex differences in mate preferences revisited: Do people know what they initially desire in a romantic partner? Journal of Personality and Social Psychology, 94, 245-264.

· Eskritt, M., & Lee, K. 2003 Do actions speak louder than words? Preschool children's use of the verbal-nonverbal consistency principle during inconsistent communications. Journal of Nonverbal Behavior, 27, 25-41.

- Extremera, N., & Berrocal, P. F. 2005 Perceived emotional intelligence and life satisfaction: Predictive and incremental validity using the trait meta-mood scale. Personality and Individual Differences, 39, 937-948.
- Feng, B., & Burleson, B. R. 2008 The effects of argument explicitness on responses to advice in supportive interactions. Communication Research, 35, 849-874.
- Fennis, B. M., Das, E., & Pruyn, A. T. H. 2006 Interpersonal communication and compliance: The disrupt-then-reframe technique in dyadic influence settings. Communication Research, 33, 136-151.
- Frick, R. W. 1992 Interestingness. British Journal of Psychology, 83, 113-128.
- Gadon, O., & Johnson, C. 2009 The effect of a derogatory professional label: Evaluation of a "shrink". Journal of Applied Social Psychology, 39, 634-655.
- Garcia, S. M., Tor, A., & Gonzalez, R. 2006 Ranks and rivals: A theory of competition. Personality and Social Psychology Bulletin, 32, 970-982.
- Gawda, B. 2007 Neuroticism, extraversion, and paralinguistic expression. Psychological Reports, 100, 721-726.
- Gilovich, T., Savitsky, K., & Medvec, V. H. 1998 The illusion of transparency: Biased assessments of others' ability to read one's emotional states. Journal of Personality and Social Psychology, 75, 332-346.
- Hendrickson, B., & Goei, R. 2009 Reciprocity and dating: Explaining the effects of favor and status on compliance with a date request. Communication Research, 36, 585-608.

· Hertel, G., & Fiedler, K. 1994 Affective and cognitive influences in a social dilemma game. European Journal of Social Psychology, 24, 131-145.

· 本河裕, 1992, できる男に見せる法, KK ロングセラーズ

· Iyengar, S. S., & Lepper, M. R. 2000 When choice is demotivating: Can one desire too much of a good thing? Journal of Personality and Social Psychology, 79, 995-1006.

· 角川いつか, 2009, デキる男はやっている-大物の肝をつかむ処世術, ビジネス社

· Kray, L. J., Reb, J., Galinsky, A. D., & Thompson, L. 2004 Stereotype reactance at the bargaining table: The eff ect of stereotype activation and power on claiming and creating value. Personality and Social Psychology Bulletin, 30, 399-411.

· Keysar, B., & Henly, A. S. 2002 Speakers' overestimation of their effectiveness. Psychological Science, 13, 207-212.

· Kline, S. L., Simunich, B., & Weber, H. 2008 Understanding the effects of nonstraightforward communication in organizational discourse. Communication Research, 35, 770-791.

· Knobloch-Westerwick, S., & Meng, J. 2009 Looking the other way: Selective exposure to attitude-consistent and counterattitudinal political information. Communication Research, 36, 426-448.

· Loftus, E. F. 1979 Reactions to blatantly contradictory information. Memory and Cognition, 7, 368-374.

· Marchant, G., Robinson, J., Anderson, U., & Schadewald, M. 1991 Analogical transfer and expertise in legal reasoning. Organizational Behavior and Human Decision Processes, 48, 272-290.

· McQuarrie, E. F., & Phillips, B. J. 2005 Indirect persuasion in advertising. Journal of Advertising, 34, 7-20.

· Mischel, W., Ebbesen, E. B., & Zeiss, A. R. 1972 Cognitive and attentional mechanisms in delay of gratification. Journal of Personality and Social Psychology, 21, 204-218.

· 三宅壽雄, 1997, 営業力をつける, 日本経済新聞社

· Muraven, M., Baumeister, R.F., & Tice, D. M. 1999 Longitudinal improvement of self-regulation through practice: Building self-control strength through repeated exercise. Journal of Social Psychology, 139, 446-457.

· Naumann, L. P., Vazire, S., Rentfrow, P. J., & Gosling, S. D. 2009 Personality judgments based on physical appearance. Personality and Social Psychology Bulletin, 35, 1661-1671.

· Nyhus, E. K., & Pons, E. 2005 The effects of personality on earnings. Journal of Economic Psychology, 26, 363-384.

· 野間正樹, 2005, 初対面で相手を味方につける話し方, 小学館

· 大畠常靖, 2005, なぜか、いつも会話がはずまない人へ, 総合法令出版

· Park, H. S. 2008 The effects of shared cognition on group satisfaction and performance: Politeness and efficiency in group interaction. Communication Research, 35, 88-108.

· Pascual, A., & Gueguen, N. 2006 Door-in-the-face technique and monetary solicitation: An evaluation in a fi eld setting. Perceptual and Motor Skills, 103, 974-978.

· Quick, B. L., & Stephenson, M. T. 2007 Further evidence that psychological reactance can be modeled as a combination of anger and negative cognitions. Communication Research, 34, 255-276.

· Rains, S. A. 2007 The impact of anonymity on perception of source credibility and influence in computer-mediated group communication: A test of two competing hypotheses. Communication Research, 34, 100-125.

· Ramsey, R. P., & Sohi, R. S. 1997 Listening to your customers: The impact of perceived salesperson listening behavior on relationship outcomes. Journal of Academy of Marketing Science, 25, 127-137.

· Rose, G. M., Shoham, A., Kahle, L. R., & Batra, R. 1994 Social values, conformity, and dress. Journal of Applied Social Psychology, 24, 1501-1519.

· Russell, B., Perkins, J., & Grinnell, H. 2008 Interviewees' overuse of the word "like"and hesitations: Effects in simulated hiring decisions. Psychological Reports, 102, 111-118.

· Sheldon, K. M. 1999 Learning the lessons of tit-for-tat: Even competitors can get the message. Journal of Personality and Social Psychology, 77, 1245-1253.

· Skarlicki, D. P., Folger, R., & Gee, J. 2004 When social accounts backfire; The exacerbating eff ects of a polite message or an apology on reactions to an unfair outcome. Journal of Applied Social Psychology, 34, 322-341.

· Sparks, J. R., & Areni, C. S. 2008 Style versus substance: Multiple roles of language power in persuasion. Journal of Applied Social Psychology, 38, 37-60.

· Vohs, K. D., Mead, N. L., & Goode, M. R. 2006 The psychological consequences of money. Science, 314, 1154-1156.

- Vrugt, A. 2007 Effects of a smile reciprocation and compliance with a request. Psychological Reports, 101, 1196-1202.
- Walther, J. B., Vander Heide, B., Hamel, L. M., & Shulman, H. C. 2009 Self-generated versus other-generated statements and impressions in computer-mediated communication: A test of warranting theory using facebook. Communication Research, 36, 229-253.
- Wegner, D. M., Erber, R., & Zanakos, S. 1993 Ironic processes in the mental control of mood and mood-related thought. Journal of Personality and Social Psychology, 65, 1093-1104.
- Williamson, G. M., & Clark, M. S. 1992 Impact of desired relationship type on affective reactions to choosing and being required to help. Personality and Social Psychology Bulletin, 18, 10-18.
- Wittenbaum, G. M., Hubbell, A. P., & Zuckerman, C. 1999 Mutual enhancement: Toward an understanding of the collective preference for shared information. Journal of Personality and Social Psychology, 77, 967-978.
- Woodside, A. G., & Davenport, J. W. Jr. 1974 The effect of salesman similarity and expertise on customer purchasing behavior. Journal of Marketing Research, 11, 198-202.
- Zaragoza, M. S., McCloskey, M., & Jamis, M. 1987 Misleading postevent information and recall of the original event: Further evidence against the memory impairment hypothesis. Journal of Experimental Psychology: Learning, memory, and cognition, 13, 36-44.

옮긴이 이정은

고려대학교를 졸업하고 일본 히토쓰바시대학(一橋大學) 대학원에서 석사학위와 '한일 근대의 인쇄 매체를 통해 나타난 근대여성 연구'라는 주제로 박사학위를 받았다. 현재 일본에서 대학강사로 활동하고 있다. 번역서로 《도망치고 싶을 때 읽는 책》, 《곁에 두고 읽는 니체》, 《라이프 Life》 등이 있다.

만만하게 보이지 않는 대화법

초판 1쇄 발행일 2018년 03월 14일
초판 4쇄 발행일 2018년 04월 10일

지은이 나이토 요시히토
옮긴이 이정은
발행인 이승용
주간 이미숙
편집기획부 송혜선 정수인 **디자인팀** 황아영 한혜주
마케팅부 송영우 차윤수 **홍보마케팅팀** 박치은 조은주
경영지원팀 이지현 김지희

발행처 |주|홍익출판사
출판등록번호 제1-568호
출판등록 1987년 12월 1일
주소 [04043]서울 마포구 양화로 78-20 (서교동 395-163)
대표전화 02-323-0421 **팩스** 02-337-0569
메일 editor@hongikbooks.com
홈페이지 www.hongikbooks.com

ISBN 978-89-7065-625-0 (03190)

이 도서의 국립중앙도서관 출판예정도서목록(CIP)은
서지정보유통지원시스템 홈페이지(http://seoji.nl.go.kr)와
국가자료공동목록시스템(http://www.nl.go.kr/kolisnet)에서 이용하실 수 있습니다.
(CIP제어번호: CIP2018005881)